15.

Fünfzig italienische Zeichnungen
des 16.–18. Jahrhunderts

Giovanni Battista Tiepolo, *Studie eines sitzenden, nach rechts gelehnten männlichen Aktes mit angezogenen Beinen,* verso von Kat. Nr. 40

FÜNFZIG ITALIENISCHE ZEICHNUNGEN

DES 16.–18. JAHRHUNDERTS

AUS DER STIFTUNG RATJEN, VADUZ

Herausgegeben von der
Liechtensteinischen Staatlichen Kunstsammlung, Vaduz

Katalog von
David Lachenmann

Benteli Verlag Bern

Ausstellung vom 18. März bis 2. Juli 1995
in der Liechtensteinischen Staatlichen Kunstsammlung
Städtle 37, Vaduz

VORWORT

Es gibt hie und da im Kulturbetrieb Glücksfälle, weitab von den großen Zentren. Ein solcher Glücksfall ist das Zustandekommen der Ausstellung «Fünfzig italienische Zeichnungen des 16.–18. Jahrhunderts aus der Stiftung Ratjen, Vaduz». In Liechtenstein wußte man insgeheim von der Existenz der Ratjen-Stiftung; in verschiedenen Städten Europas hatten erlesene Zeichnungen aus dem italienischen und deutschen Gebiet des 16. bis 19. Jahrhunderts für Aufsehen gesorgt. So lag die Frage nahe: wieso diese kostbaren Schätze nicht auch in Liechtenstein zu zeigen? Der ausgezeichnete Münchner Katalog aus dem Jahre 1977 zum Andenken von Herbert List (1903–1975), dessen Sammelgut Grundstock der Blätter in der Ratjen-Stiftung ist, verdeutlicht unmißverständlich die hohe Qualität dieser Sammlung. Die Vereinigung der bereits bestehenden Sammlung Ratjen mit jener von List im Jahre 1972 sowie die erfolgreiche und kompetente Sammeltätigkeit von Dr. Wolfgang Ratjen in den letzten 25 Jahren ließen die Bestände in der Stiftung zu einem international bedeutsamen Konvolut anwachsen. Dr. Ratjen hat mit großem Einsatz und in aller Stille gesammelt. Er war gegenüber Ausstellungsangeboten zurückhaltend bis ablehnend. Umso wirksamer und überraschender gestaltet sich die Präsentation der Ratjen-Stiftung in Vaduz.

Als aus den Sammlungen des Fürsten von Liechtenstein eine Ausstellung «Fünf Jahrhunderte italienische Kunst» vorbereitet und am 15. April 1994 eröffnet wurde, lag nichts näher, als Zeichnungen des 16. bis 18. Jahrhunderts aus dem italienischen Raum in einer Wechselausstellung zu zeigen. Kaum ein Medium kann den Weg des Malers zum Bild besser verdeutlichen als die Zeichnung. Mit dieser Situation konfrontiert, war der Leihgeber trotz eingeübter Zurückhaltung bereit, seinen Mitbürgern und den Besuchern Liechtensteins Einblick in sein Sammelgut zu gewähren.

Dr. Wolfgang Ratjen hat für die Vaduzer Ausstellung fünfzig Zeichnungen aus den Beständen der Stiftung ausgesucht. Die Exponate wurden von David Lachenmann für einen repräsentativen Katalog bearbeitet, der dem Benützer umfassende Informationen zu den ausgestellten Werken vermittelt. Dem Leihgeber gebührt für seine Großzügigkeit Dank und Anerkennung.

Georg Malin

EINLEITUNG

Verschiedentlich wurden in den letzten Jahren Überlegungen angestellt, auf welche Weise sich die Stiftung Ratjen in Vaduz, dem Ort ihres Sitzes, mit einer Auswahl an Kunstwerken aus eigenen Beständen vorstellen könnte. Nachdem nun die Liechtensteinische Staatliche Kunstsammlung seit 1994 eine längerwährende Ausstellung italienischer Gemälde aus den fürstlichen Sammlungen durchführt, erschien der Vorschlag von Dr. Georg Malin reizvoll, am selben Ort auch eine Ausstellung italienischer Zeichnungen zu zeigen. Mit der Präsentation von fünfzig Werken wird diese Idee jetzt Wirklichkeit. Die Ausstellung verfolgt nicht die Absicht, die Entwicklungsgeschichte der italienischen Zeichenkunst des 16. bis 18. Jahrhunderts zu dokumentieren; vielmehr sollen an Hand besonders eindringlicher Beispiele einzelne Perspektiven des Kunstschaffens jener Zeit sichtbar gemacht werden. Ausgehend von manieristischen Werken der ersten Hälfte des 16. Jahrhunderts erstreckt sich der Bogen über die Zeit des Barock und Rokoko bis zum Klassizismus des späten 18. Jahrhunderts. Die Mehrzahl der Exponate stammt aus der Barockzeit. Geographisch dominieren die venezianischen Zeichner, aber auch andere wichtige regionale Schulen wie Rom, Florenz und Bologna sind mit charakteristischen Werken vertreten.

Diese fünfzig Zeichnungen sollen einen Eindruck von der Konzeption vermitteln, nach der die Sammlung der Stiftung angelegt ist. Im Zentrum steht das Bemühen um erstrangige und für den Künstler typische Werke. Nicht eine in die Breite gehende, primär kunsthistorisch interessante «Studiensammlung» ist das Ziel, sondern eine Sammlung von Einzelstücken möglichst hoher Qualität, eine Auswahl, die den Betrachter unmittelbar ansprechen und in ihren Bann ziehen soll. Dabei müssen berühmte Künstlernamen nicht unbedingt dominieren; im Zweifelsfall sollen diese der Qualität eines weniger bekannten Meisters weichen. Heute ist es kaum mehr möglich, erstrangige Zeichnungen der führenden Renaissancekünstler zu erwerben. Hingegen kann es sehr lohnend sein, den Blättern der großen künstlerischen Begabungen des Manierismus und der Barockzeit nachzuspüren.

Die Stiftung Ratjen wurde 1976 in Vaduz errichtet. Ihr Ziel sind der Ausbau und die Betreuung der ihr übereigneten Bestände alter Meisterzeichnungen sowie die Erforschung und Förderung des Verständnisses der Zeichenkunst früherer Jahrhunderte.

Schwerpunkte bilden die italienischen und deutschen Schulen des 16. bis 19. Jahrhunderts. Besonderes Interesse gilt den Künstlern der deutschen Romantik. Bereits 1977/78 wurden in der Staatlichen Graphischen Sammlung München, in den Staatlichen Museen Preußischer Kulturbesitz, Berlin, der Kunsthalle Hamburg, dem Kunstmuseum Düsseldorf und der Staatsgalerie Stuttgart Ausstellungen der Stiftung durchgeführt. Die Sommer-Ausstellung 1979 des Kunstmuseums Luzern, die der alten italienischen Zeichenkunst gewidmet war, konnte auf 100 Leihgaben der Stiftung zurückgreifen. Seitdem wurden kontinuierlich weitere Leihwünsche ausgeführt sowie die verschiedenen anderen Aufgaben der Stiftung ihren Statuten entsprechend weiterverfolgt.

Bei den Vorbereitungen zur Ausstellung und der Erstellung des Kataloges wurde von verschiedener Seite Hilfe geleistet. Die Namen der Beteiligten finden sich in der separaten Danksagung. An dieser Stelle soll lediglich Herrn Dr. Georg Malin, Konservator der Liechtensteinischen Staatlichen Kunstsammlung, herzlich gedankt werden. Auf seine Initiative geht die Ausstellung zurück; seiner steten und verständnisvollen Unterstützung verdankt sie ihre Realisierung.

Wolfgang Ratjen

DANK

Für ihre langjährige Hilfe beim Aufbau und der Betreuung der Sammlung sei besonders gedankt: Paul Dresher, Marcus von Moreau, Manuel Moses, Günter und Evi von Voithenberg, Hinrich Sieveking.

Herzlicher Dank für die Unterstützung beim Zustandekommen dieses Kataloges gilt: Elizabeth Allen, Katrin Bellinger, Hugo Chapman, Peter und Aga Dreyer, Tilman Falk, Sabrina Förster, Roberto Franchi, Martin Grässle, Richard Harprath, Jörg Martin Merz, Catherine Monbeig-Goguel, Andrew Robison, Cristiana Romalli, Charles Ryskamp, Eckhard Schaar, Wolf Tegethoff, Harald Weinhold.

Besonderer Dank geht schließlich an Susanne Baumgart, die unschätzbare Hilfe bei der Erstellung des Katalogmanuskriptes geleistet hat.

Wolfgang Ratjen   David Lachenmann

KATALOG

1 Giulio Pippi,
genannt **Giulio Romano**

1499 (?) Rom – 1546 Mantua

Einer der engsten Schüler und Mitarbeiter Raffaels; führte nach Raffaels Tod dessen unvollendet gebliebene Werke weiter. 1524 Berufung an den Hof Federico Gonzagas nach Mantua, wo er als Architekt und Hofmaler tätig wurde.

Die vier Elemente

Feder und Pinsel in Braun.
24,2 × 33,7 cm
R 681

Provenienz:
Pierre Crozat; Pierre-Jean Mariette (Lugt 1852); Marquis de Lagoy (Lugt 1710); Thomas Dimsdale (Lugt 2426); Sir Thomas Lawrence (Lugt 2445);[1] Lord Francis Egerton, 1st Earl of Ellesmere (Lugt 2710 b); Auktion Sotheby's, London, The Ellesmere Collection, Part II, Drawings by Giulio Romano and other sixteenth-century masters, 5.12.1972, Nr. 17 (mit Abb.); Herbert List, München (Stempel nicht bei Lugt).

Literatur:
Hartt 1958, Bd. I, S. 89 und 295, Nr. 141, Bd. II, Abb. 151;
Konrad Oberhuber, in: Mantua 1989, S. 426;
Oberhuber 1989, S. 153, Nr. 84, Abb. S. 151.

Das Thema der Zeichnung, deren Provenienz sich durchgehend bis in das 17. Jahrhundert zurückverfolgen läßt, sind die vier Elemente Wasser, Feuer, Erde, Luft, verkörpert von Diana, Apollo, Saturn und Boreas. Das Blatt konnte bisher nicht eindeutig mit einem ausgeführten Projekt des Künstlers in Verbindung gebracht werden. Aufgrund der reliefartigen chiaroscuro-Wirkung der Zeichnung liegt es jedoch nahe, daß sie eine Arbeit in Stuck vorbereiten sollte, aller Wahrscheinlichkeit nach im Zusammenhang mit der Ausgestaltung des Palazzo del Te in Mantua.

Frederick Hartt vermutet, daß das Blatt circa 1526 – in den Beginn von Giulios dortiger Schaffenszeit – zu datieren ist und möglicherweise als Vorstudie für die heute nicht mehr erhaltene Dekoration der «Stalle del Te» diente.[2]

Konrad Oberhuber hingegen datiert die Zeichnung um 1530/31[3] und verweist zu Recht auf die stilistische Ähnlichkeit mit Vorzeichnungen zur Stuckdekoration am Gewölbe der «Sala degli Stucchi»,[4] wie zum Beispiel der mythologischen Szene im Musée Condé, Chantilly.[5] Weitere stilistisch vergleichbare Vorstudien für diesen Raum befinden sich unter anderem in der Albertina[6] und in einer Bologneser Privatsammlung.[7]

Oberhuber geht davon aus, daß unser Entwurf ebenfalls im Zuge der Ausstattung der «Sala degli Stucchi» entstanden, jedoch nicht ausgeführt worden ist.[8]

Ein Nachstich unserer Zeichnung, die sich damals im Besitz von Pierre-Jean Mariette befand, wurde 1738 von Le Sueur angefertigt.[9]

---

[1] Ausgestellt in: The Lawrence Gallery, Fifth Exhibition, *Julio Romano, Francesco Primaticcio, Leonardo da Vinci and Pierino del Vaga, Collected by Sir Thomas Lawrence...*, London 1836, Nr. 12.

[2] Hartt 1958, Bd. I, S. 89.

[3] Oberhuber 1989, unter Nr. IV.84.

[4] K. Oberhuber, in: Mantua 1989, S. 426.

[5] Chantilly, Musée Condé, Inv. Nr. 65; vgl.: Hartt 1958, Bd. I, Nr. 200, Bd. II, Abb. 321. Es scheint sich bei diesem Blatt nicht um eine klassische Darstellung der «Caritas Romana» zu handeln, sondern um eine Abwandlung des Themas, da eine dritte Figur hinzugefügt wurde und die weibliche Gestalt nicht Pero, die Tochter des Cimon, darstellt, sondern durch Jagdutensilien, Hund und Mondsichel eindeutig als Diana charakterisiert wird.

[6] Wien, Albertina, Inv. Nr. 14201 R98; vgl.: Mantua 1989, Abb. S. 374.

[7] Vgl.: München u. a. 1977/78, Nr. 6 (mit Abb.).

[8] K. Oberhuber, in: Mantua 1989, S. 426.

[9] Vgl.: K. Oberhuber, in: Mantua 1989, S. 426.

2 Luca Penni

Circa 1500/1504 Florenz – 1556 Paris

*Beeinflussung durch Raffael und seine
Nachfolger. 1527–30 zusammen mit
seinem Schwager Perino del Vaga in
Genua und Lucca tätig. Übersiedelte
1530 nach Fontainebleau, wo er am
dortigen Hof mit Rosso Fiorentino und
Primaticcio zusammenarbeitete. Neben
Porträts und religiösen Bildern fertigte
Penni Entwürfe für Tapisserien und
Vorlagen für französische Kupferstecher.
Seine letzten Jahre verbrachte er in Paris.*

Das Bankett des Acheloos

Feder in Schwarzbraun, bräunlich-grünlich laviert,
weiß gehöht, auf beigem Papier.
30,4 × 47,4 cm
Beschriftung links der Blattmitte am Tischtuch in
Deckweiß: «Luc Penni»
R 585

Provenienz:
August Grahl, Dresden (Lugt 1199); Auktion
seiner Sammlung bei Sotheby's, London, 28.4.1885,
Nr. 324 (als Perino del Vaga); Auktion Max Perl,
Berlin, Auktion III, 8./9.11.1926, Nr. 505, Abb.
Tafel 19; Auktion Weinmüller, München, Auktion
24, Katalog 27, 20./21.5.1941, Nr. 704; Auktion
C. G. Boerner, Leipzig, 19.2.1942, Nr. 526;
Bernhard Funck, München (Stempel nicht bei
Lugt); Herbert List, München (Stempel nicht bei
Lugt).

Literatur:
Sylvie Béguin, in: Paris 1972/73, S. 129, Nr. 138,
Abb. S. 128;
Richard Harprath, in: München u. a. 1977/78,
Nr. 36;
Luzern 1979, S. 64, Nr. 110;
Miller 1982, S. 53, Abb. 40;
Goldner/ Hendrix/ Williams 1988, S. 78, unter
Nr. 29;
Paris u. a. 1994/95, S. 136, unter Nr. 43.

Von Luca Pennis zeichnerischem Œuvre hat sich nur relativ wenig erhalten.[1] Das
ausgestellte Blatt, das ein typisches Beispiel seines Zeichenstils ist, läßt sich besonders gut mit drei Blättern im Louvre,[2] in Windsor Castle[3] und im J. Paul
Getty Museum[4] vergleichen. Diese Zeichnungen zeigen, wie auch unser Blatt,
deutlich den Einfluß Raffaels – ein Einfluß, der dadurch erklärbar wird, daß
Pennis Bruder Giovanni Francesco einer der engsten Mitarbeiter Raffaels war
und Luca selbst unter Perino del Vaga arbeitete.
Drei dieser Zeichnungen ist auch gemein, daß die Darstellung durch einen höhlenartigen Rahmen eingefaßt wird.
Das Thema unseres Blattes läßt sich, wie Sylvie Béguin erstmals vorschlug,[5]
wohl als das Bankett des Flußgottes Acheloos zu Ehren von Theseus deuten, das
von Ovid im achten Buch der Metamorphosen beschrieben wird.[6]

[1] Vgl.: Golson 1957, S. 17–36, sowie: Béguin 1987, S. 243–257.
[2] Paris, Louvre, Cabinet des Dessins, Inv. Nr. 1394; vgl.: Paris 1972/73, S. 129, Nr. 137, Abb. S. 126.
[3] Windsor Castle, Royal Library, Inv. Nr. 0.407; vgl.: Paris 1972/73, S. 127, Nr. 136, Abb. S. 126.
[4] Malibu, J. Paul Getty Museum, Inv. Nr. 85.GG.235; vgl.: Goldner/ Hendrix/Williams 1988, S. 78, Nr. 29 (mit Abb.).
[5] S. Béguin, in: Paris 1972/73, S. 129, unter Nr. 138.
[6] Ovid, Metamorphosen, VIII, 547–579; vgl. auch: R. Harprath, in: München u. a. 1977/78, S. 84, unter Nr. 36.

3 Paolo Farinati

1524 Verona – 1606 Verona

Maler, Radierer und Architekt.
Laut Vasari Schüler von Niccolò
Giolfino. Später vor allem durch Paolo
Veronese beeinflußt, mit dem ihn eine
enge Freundschaft verband. Arbeitete
hauptsächlich für Kirchen und Paläste
in Verona und Umgebung. Farinatis ab
1573 bis zu seinem Tode minutiös geführ-
tes «Giornale» gibt genaue Auskunft
über seine in diesem Zeitraum entstan-
denen Werke.[1]

Die Schindung des Marsyas

Feder in Braun, braun laviert, weiß gehöht, über
schwarzem Stift, auf grünlich-grauem Papier.
39,7 × 27,5 cm. Aufgezogen.
R 10

Provenienz:
Eberhard Jabach, Paris (Lugt 960a);[2] Bernhard
Funck, München (Stempel nicht bei Lugt); Herbert
List, München (Stempel nicht bei Lugt).

Literatur:
Hamburg u. a. 1965/66, S. 10, Nr. 7, Abb. 92;
Puppi 1968, S. 4, unter Anm. 2, Abb. 4;
Puppi 1969, S. 54;
Carpeggiani 1974, S. 234;
Richard Harprath, in: München u. a. 1977/78,
Nr. 23;
Luzern 1979, S. 46 f., Nr. 70;
DeGrazia Bohlin 1982, S. 360 f., Anm. 42 und 48.

Lionello Puppi[3] brachte diese Zeichnung mit einem von Farinati bemalten Spinettdeckel in Zusammenhang, der den «Wettstreit von Apollon mit Marsyas und dessen Bestrafung» darstellt. Dieser befindet sich im Museo di Castelvecchio in Verona und ist 1573 datiert.[4] Die Verbindung zwischen Spinettdeckel und unserem Blatt scheint jedoch fragwürdig, da sich weder in der Anlage des Bildformats noch in der Komposition Entsprechungen finden.

Bei zwei weiteren von Puppi publizierten Entwürfen Farinatis zum Thema «Die Schindung des Marsyas» in Sankt Petersburg[5] und Stockholm[6] ist die Darstellung auf die beiden Hauptfiguren Marsyas und Apoll reduziert, die im Vergleich zu unserer Zeichnung seitenverkehrt erscheinen. Bei einem dritten Blatt, das sich ebenfalls in Sankt Petersburg befindet[7] und dem ausgestellten Werk fast wörtlich entspricht, handelt es sich wohl um eine Nachzeichnung.

Eine chronologische Einordnung der Zeichnungen Farinatis erweist sich als schwierig, da sich sein Stil innerhalb des graphischen Œuvre kaum gewandelt hat. Wenngleich unser Blatt in keinem direkten Zusammenhang mit dem Spinettdeckel in Verona steht, so ist doch anzunehmen, daß die Zeichnung ebenfalls Anfang der 1570er-Jahre entstanden ist. Dies legt ein stilistischer Vergleich mit Zeichnungen Farinatis für die Fresken im Palazzo Giuliari nahe, welche um 1573 oder davor datiert werden.[8]

---

[1] Vgl.: Puppi 1968.
[2] Die Zeichnung wird auch im Jabach-Inventar der sog. «Deuxième Collection», das in der Bibliothèque Nationale aufbewahrt wird, unter Nr. 68 der «Facture du Portefeuille N°2» erwähnt: «N°68 di Paul Farinati 7#. 10ˢ / Apollon qui escerche marsias a la plume lavé et haussé sur papier bleu long de 13 et haut de 17½ pouces.»
[3] Puppi 1968, S. 4, unter Anm. 2.
[4] Vgl.: Dal Forno 1965, Abb. 27, sowie: Puppi 1969, S. 54.
[5] Sankt Petersburg, Eremitage, Inv. Nr. 3068; vgl.: Puppi 1968, S. 4, unter Anm. 2, Abb. 3.
[6] Stockholm, Nationalmuseum, Inv. Nr. 1429/1863; vgl.: Bjurström 1979, Nr. 53 (mit Abb.), sowie: Puppi 1968, S. 4, unter Anm. 2.
[7] Sankt Petersburg, Eremitage, Inv. Nr. 3067; vgl.: Puppi 1968, S. 4, unter Anm. 2, Abb. 2.
[8] Vgl.: DeGrazia Bohlin 1982, S. 347–369, Taf. 1–10b.

4 Leandro da Ponte, genannt **Leandro Bassano**

1557 Bassano – 1622 Venedig

Sohn Jacopo Bassanos, des bekanntesten Mitglieds der Malerfamilie Bassano. Ausbildung in der Werkstatt des Vaters, wo Leandro bis Ende der achtziger Jahre tätig war. Danach Übersiedelung nach Venedig. Leandro war vor allem als Porträtist geschätzt, aber auch als Maler der für die Bassano-Werkstatt charakteristischen Szenen aus dem häuslichen und ländlichen Leben.

Studie zu einem Mann, der sich zu einer Last niederbeugt

Kohle und rotbrauner Stift, weiß gehöht, auf blauem Papier.
20,8 × 27,9 cm. Die Ränder unregelmäßig beschnitten, auf blauem Papier befestigt.
R 815

Provenienz:
Sogenanntes «Sagredo-Borghese-Album»;[1] Jacques Petithory, Paris (Stempel nicht bei Lugt).

Literatur:
Peter Dreyer, in: München u.a. 1977/78, Nr. 10; Luzern 1979, S. 50, Nr. 79.

Die ausgestellte Zeichnung diente als Studie zu dem sich niederbeugenden Mann am rechten Rand des großen Wandbildes «Begegnung des Dogen Ziani mit Papst Alexander III.» in der Sala del Consiglio dei Dieci im Dogenpalast.[2] Das Gemälde wurde bei Francesco Bassano im Jahre 1592 kurz vor seinem Tod in Auftrag gegeben und dann von seinem Bruder Leandro fertiggestellt.

Aufgrund der im Bassano-Atelier üblichen engen Zusammenarbeit könnte unser Blatt sowohl von jedem der beiden Brüder als auch vom Vater Jacopo ausgeführt worden sein, dessen Zeichnungen seinen Söhnen Leandro und Francesco zur Verfügung standen. Wegen der hohen Qualität des Blattes ist verschiedentlich daran gedacht worden, daß die Zeichnung aus dem reichen «Figurenvorrat» Jacopo Bassanos stammen könnte. Der Zeichenstil Jacopos ist allerdings in der Modellierung der Körperpartien summarischer;[3] zudem scheint unser Blatt in direkter Vorbereitung des oben genannten Gemäldes entstanden zu sein, was Jacopo als Autor der Studie ausschließen würde, da dieser zum Zeitpunkt, als der Auftrag erteilt wurde, bereits verstorben war.[4] Auch Roger Rearick[5] und Alessandro Ballarin[6] sind übereinstimmend der Meinung, daß die ausgestellte Studie Leandro zuzuweisen ist.

Eine unserem Blatt technisch und stilistisch verwandte Einzelstudie Leandros zu dem im Gemälde nach links laufenden Lastenträger befand sich ehemals in einer Pariser Privatsammlung.[7]

[1] Vgl.: Monte-Carlo 1966, S. 7–14, sowie: *«Dessins italiens d'un album ‹Sagredo-Borghese› de la collection d'un amateur français»*, in: Kat. Auktion Christie's, Monaco, 2.7.1993, S. 6.
[2] Vgl.: Arslan 1960, Band I, S. 241 und 271, Band II, Abb. 307.
[3] Vgl. hierzu folgende Blätter in: Bassano del Grappa/ Fort Worth 1992/93, Nr. 84, 90, 108, 109 (mit Abb.).
[4] Das Gemälde wurde bei Francesco kurz vor seinem Freitod (3.7.1592) in Auftrag gegeben, Jacopo Bassano war jedoch schon am 14.2. desselben Jahres in San Francesco in Bassano begraben worden.
[5] Vgl.: München u.a. 1977/78, S. 30, unter Nr. 10.
[6] Brief vom 5.3.1979.
[7] Ehemals Sammlung Madame Patissou, Paris; vgl.: Tietze/Tietze-Conrat 1944, S. 58, Nr. 243, Tafel CXLVIII.

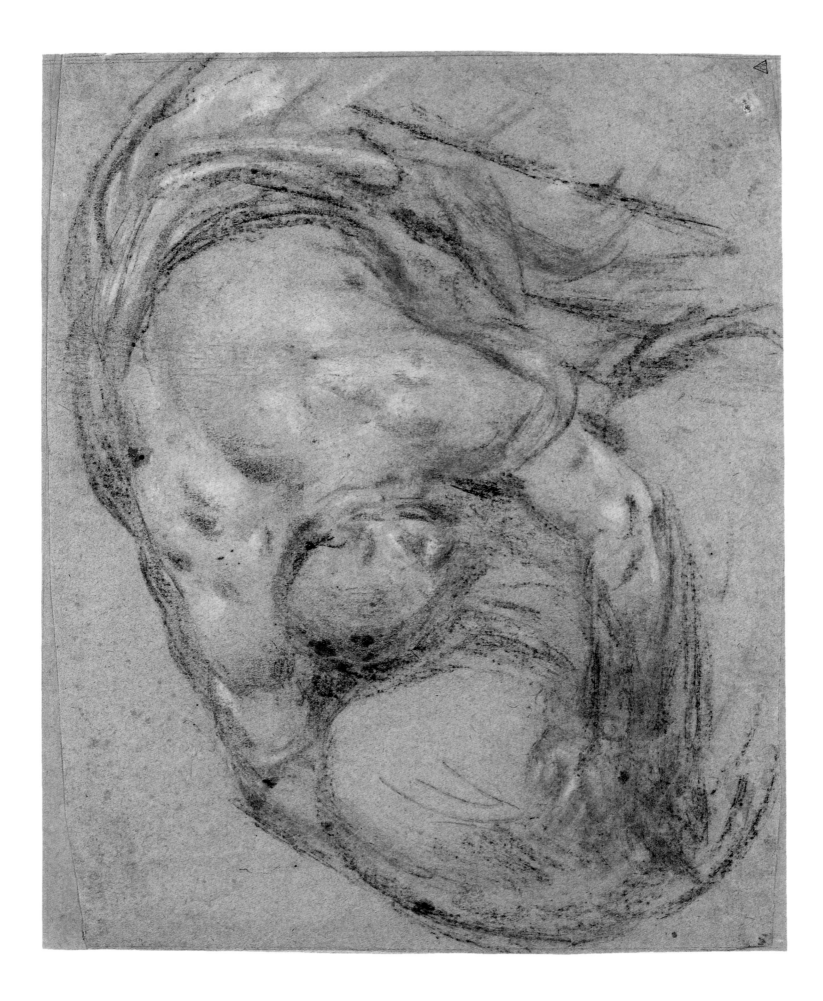

5 Jacopo Negretti,
genannt **Palma il Giovane**

1544 oder 1548 Venedig[1] – 1628 Venedig

Großneffe des Palma il Vecchio. Erste
Ausbildung bei seinem Vater Antonio.
Zwischen 1564 und 1567 am Hofe des
Herzogs von Urbino tätig, später in Rom.
Bald nach 1568 Rückkehr nach Venedig,
wo er vor allem durch die Werke Tizians
und Tintorettos beeinflußt wurde.
Hinterließ ein großes zeichnerisches
Œuvre.

Skizzenblatt mit mehreren Studien

Recto: Kompositionsstudie zur «Bekehrung des
Saulus», Studie zu einer männlichen und einer
weiblichen Figur
Verso: Studie zu einem «Martyrium des hl. Barto-
lomäus»,[2] Studie zur «Bekehrung des Saulus»
Recto: Feder in Braun, braun laviert.
Verso: Feder in Braun.
35,2 × 26,1 cm
R 864

Provenienz:
Sogenanntes «Sagredo-Borghese-Album», mit der
Beschriftung verso: «G. P. n°: 118»;[3] Marianne
Feilchenfeldt, Zürich.

Das Thema der «Bekehrung des Saulus» hat Palma Giovane mehrfach in Gemälden dargestellt.[4] Bei den Studien zum ‹Saulus/Paulus› recto und verso unseres
Blattes scheint es sich um frühe Entwürfe zu dem Gemälde gleichen Themas im
Prado, Madrid,[5] zu handeln. Stefania Mason Rinaldi datiert das Bild circa
1590/95,[6] was mit der lockeren Zeichenweise unseres Blattes, die für das zeichnerische Werk Palma Giovanes in diesen Jahren typisch ist, in Einklang steht.
Die beiden Figuren unten auf dem recto unseres Blattes sowie das «Martyrium
des hl. Bartolomäus» verso konnten bislang nicht mit Gemälden in Verbindung
gebracht werden.

[1] Zur Kontroverse um das Geburtsdatum Palma Giovanes vgl.: Byam Shaw 1983, Bd. I, S. 258/259,
   Anm. 1 und S. 259/260, Anm. 17.
[2] Die Identifizierung des Themas ist Aga Dreyer, New York, zu verdanken.
[3] Vgl.: Monte-Carlo 1966, S. 7–14, sowie: «Dessins italiens d'un album ‹Sagredo-Borghese› de la
   collection d'un amateur français», in: Kat. Auktion Christie's, Monaco, 2.7.1993, S. 6.
[4] Vgl.: Mason Rinaldi 1984, Nrn. 25, 86, 138, 188, 470; Abb. 388, 214, 384, 363.
[5] Vgl.: Mason Rinaldi 1984, S. 273, Nr. 138, Abb. 214.
[6] Mason Rinaldi 1984, S. 90, unter Nr. 138.

Verso von Kat. Nr. 5

6 Jacopo Negretti, genannt **Palma il Giovane**

Skizzenblatt mit mehreren Studien

*Recto: Drei Studien zur Madonna mit Kind, eine
Einzelstudie zum Jesusknaben, jeweils zwei Studien
zu den hll. Francesco da Paola und Filippo Benizzi
und drei Studien zu einer männlichen Figur
(vielleicht einem hl. Sebastian)*
*Verso: Studie zu Christus, der den Blinden heilt,
zum hl. Filippo Benizzi, zum Martyrium eines
Heiligen und zu einer am Boden knienden, nieder-
gebeugten männlichen Figur*
Recto: Feder in Braun, braun laviert, über Rötel.
Verso: Feder in Braun.
35,0 × 24,9 cm
Beschriftung verso unten links in Feder: «c/134»
R 835

Provenienz:
Sogenanntes «Sagredo-Borghese-Album», mit der
Beschriftung verso: «G. P. n°:156»;[1] Dr. Barry
Delany (Lugt 350);[2] unidentifizierter Trocken-
stempel in Form eines Sternes (verso); Justice
Murnaghan, Dublin; Auktion Christie's, London,
11.4.1978, Nr. 6, Abb. 2/3.

Literatur:
Mason Rinaldi 1974, S. 250 f., Abb. 318/319;
Luzern 1979, S. 50, Nr. 78;
Mason Rinaldi 1984, S. 111, unter Nr. 290, S. 164,
Nr. D 189 und S. 375, Abb. 473/474.

Stefania Mason Rinaldi erkannte als erste, daß es sich bei den Skizzen unseres Blattes zur Madonna mit Kind und zu zwei Heiligen um frühe Entwürfe für die jeweiligen Einzelfiguren in dem Gemälde «Die hll. Francesco da Paola und Filippo Benizzi in Anbetung der Jungfrau mit dem Kind» handelt, welches sich in der Kirche San Martino in Senigallia befindet. Aufgrund einer eigenhändigen Aufschrift mit Jahreszahl, die der Künstler auf einer weiteren Kompositionsstudie zu diesem Bild angebracht hat,[3] datiert sie das Gemälde in das Jahr 1611.[4]

Bei den drei Skizzen zu einer männlichen Figur auf dem recto unseres Blattes könnte es sich um erste Gedanken zur Figur eines hl. Sebastian handeln. Diese Vermutung wird dadurch gestützt, daß sich auch auf dem verso der oben er-wähnten Kompositionsstudie der Entwurf einer Sebastians-Figur befindet,[5] deren Haltung eine Weiterentwicklung unserer Skizzen darstellen könnte. Stefania Mason Rinaldi[6] brachte diesen Entwurf mit dem ebenfalls 1611 entstandenen Gemälde des hl. Sebastian im Santuario delle Sette Chiese in Monselice in Ver-bindung.[7]

Für die Skizzen auf dem verso unseres Blattes konnte – mit Ausnahme der Studie zum hl. Filippo Benizzi – bislang keine Gemäldeausführung gefunden werden.

[1] Vgl.: Monte-Carlo 1966, S. 7–14, sowie: «*Dessins italiens d'un album ‹Sagredo-Borghese› de la collection d'un amateur français*», in: Kat. Auktion Christie's, Monaco, 2.7.1993, S. 6.
[2] Dessen Monogramm in Feder verso.
[3] Paris, Ecole des Beaux-Arts, Inv. Nr. 214; vgl.: Mason Rinaldi 1984, S. 375, Nr. D 158, Abb. 472. Ein stilistisch vergleichbares Skizzenblatt, das ebenfalls eine mit der Jahreszahl 1611 versehene Aufschrift von der Hand Palma Giovanes trägt, befindet sich in der Achenbach Foundation, San Francisco (Inv. Nr. William H. Noble Bequest Fund 1979.2.27 r–v); vgl.: San Francisco o. J., S. 44, Nr. 14 (mit Abb).
[4] Mason Rinaldi 1984, S. 111, unter Nr. 290.
[5] Vgl.: Mason Rinaldi 1984, S. 372, Nr. D 158, Abb. 463.
[6] Mason Rinaldi 1984, S. 162, unter Nr. D 158.
[7] Vgl.: Mason Rinaldi 1984, S. 372, Nr. 167, Abb. 462.

Verso von Kat. Nr. 6

7 Jacopo Negretti,
genannt Palma il Giovane

Grablegung Christi

Pinsel in Braun, Grau und Weiß (Ölfarben).
26,7 × 40,9 cm. Aufgezogen.
Beschriftung recto unten in schwarzem Stift:
«Tintoretto»
Beschriftung verso in Feder: «1755»
R 899

Provenienz:
Richard Houlditch (Lugt 2214) mit der
Beschriftung «2» hinter dem Stempel; The Earl of
Harewood; The Harewood Charitable Trust;
Auktion Christie's, London, 2.7.1985, Nr. 35 (mit
Abb.).

Im sehr umfangreichen zeichnerischen Œuvre Palma Giovanes lassen sich nur relativ wenige Blätter finden, die – wie die ausgestellte Studie – scheinbar als modelli konzipiert waren. Einige dieser Blätter wurden früher fälschlicherweise Domenico Tintoretto zugeschrieben, wohl aufgrund der eher ungewöhnlichen Technik von Ölfarben auf Papier, die den Tempera-Zeichnungen Domenico Tintorettos, mit denen dieser viele seiner Gemälde vorbereitete (vgl. Kat. Nr. 8 und 9), in der Wirkung vergleichbar ist.

Von Palma Giovanes Blättern in dieser Technik lassen sich mehrere mit Gemälden in Verbindung bringen, so zum Beispiel eine Studie in der Albertina[1] für das 1599 datierte Gemälde «Christus am Kreuz mit Maria und Heiligen» in der Chiesa degli Zoccolanti in Potenza Picena, ein weiteres Blatt ehemals in der Sammlung Duca Roberto Ferretti, London,[2] für das circa 1605 entstandene «Pfingstwunder» im Dom von Oderzo, sowie zwei Entwürfe im Louvre für Gemälde in den Kirchen Ognissanti[3] und San Geremia[4] in Venedig (circa 1613/14 und circa 1610–20).

In ihrer relativ lockeren Pinselführung mit unserer Zeichnung stilistisch eng verwandt sind das oben erwähnte Blatt in der Albertina, die Studie für einen «Engelsturz» im British Museum[5] und zwei weitere Zeichnungen, die sich ehemals in der Sammlung C. R. Rudolf[6] und im Pariser Kunsthandel[7] befanden. Sie alle lassen sich, wie wohl auch unser Blatt, in die Zeit um 1600 datieren.

[1] Wien, Albertina, Inv. Nr. 17655; vgl.: Mason Rinaldi 1984, S. 164, Nr. D 195, Abb. 286. Zum Gemälde vgl.: Mason Rinaldi 1984, S. 103, Nr. 222, Abb. 287.
[2] Vgl.: Toronto/ New York 1985/86, Nr. 18 (mit Abb.), sowie: Kat. Auktion Christie's, London, 6.7.1993, Nr. 27 (mit Abb.). Zum Gemälde vgl.: Mason Rinaldi 1984, S. 97, Nr. 182, Abb. 403.
[3] Paris, Louvre, Cabinet des Dessins, Inv. Nr. 5188; vgl.: Mason Rinaldi 1984, S. 162, Nr. D 165, Abb. 569. Zum Gemälde vgl.: Mason Rinaldi 1984, S. 131, Nr. 467, Abb. 567.
[4] Paris, Louvre, Cabinet des Dessins, Inv. Nr. 5215; vgl.: Mason Rinaldi 1984, S. 162/163, Nr. D 167, Abb. 583. Zum Gemälde vgl.: Mason Rinaldi 1984, S. 120, Nr. 373, Abb. 581.
[5] London, British Museum, Department of Prints and Drawings, Inv. Nr. 1941–11–8–15, vgl.: D. Scrase, in: London 1983/84, S. 264/265, Nr. D 30.
[6] «Studie eines Löwen», vgl.: Mason Rinaldi 1977, S. 15, Nr. 10, Abb. S. 56.
[7] «Studie eines hl. Hieronymus», vgl.: Verkaufskatalog Galerie de Staël, *Dessins et Peintures,* Paris 1990, Nr. 1 (mit Abb.); das Blatt ist von Palma Giovane oben rechts in Feder «[1]603» datiert.

8 Domenico Tintoretto

1560 Venedig – 1635 Venedig

Sohn und engster Mitarbeiter Jacopo Tintorettos. 1581–84 zusammen mit seinem Vater bei der Ausgestaltung des Dogenpalastes tätig. Nach Jacopos Tod (1594) führte Domenico dessen unvollendet gebliebene Werke weiter. Später besonders als geschätzter Porträtist tätig.

Teilentwurf zur «Eroberung Konstantinopels durch die Venezianer»

Verso: Zwei männliche Figurenstudien
Recto: Tempera auf braungrauem Papier.
Verso: Schwarzer Stift.
31,4 × 19,2 cm. Linke obere und untere Ecke ergänzt.
R 908

Provenienz:
Sammlung Sohn-Rethel, Rom; Douwes Fine Art Ltd., London.

Literatur:
Hadeln 1926, S. 26;
Tietze/ Tietze-Conrat 1944, S. 267, Nr. 1546, Tafel CXXII, 1/2;
Meister 1952, S. 25.

Bei der ausgestellten Tempera-Studie handelt es sich um einen Teilentwurf Domenico Tintorettos zu dem zwischen 1598 und 1605 entstandenen Gemälde «Die Eroberung Konstantinopels durch die Venezianer», das sich in der Sala del Maggior Consiglio des Dogenpalastes in Venedig befindet (siehe Vergleichsabbildung unter Kat. Nr. 9).[1]

Ausgangspunkt für die Kenntnis von Domenico Tintorettos Zeichenstil in dieser Technik ist ein heute aufgelöster Klebeband von 1682 mit 90 Blättern aus dem Besitz von Don Gaspar de Haro y Guzman, der sich seit 1907 im British Museum befindet[2] und dessen Inhalt Rosanna Tozzi erstmals richtig bestimmt und zum großen Teil mit Gemälden in Verbindung gebracht hat.[3]

Während die meisten Künstler dieser Zeit bei der Vorbereitung eines Gemäldes – wenn überhaupt – nur *eine* Kompositionsstudie in dieser Technik ausführten, scheint Domenico Tintoretto mehrere, voneinander sehr unterschiedliche Tempera-Studien angefertigt zu haben. Diese konnten von der endgültigen Gemäldefassung in der Konzeption sowohl des Bildformats als auch der Gesamtkomposition stark abweichen. Offensichtlich benutzte Domenico seine Tempera-Studien, um sich durch verschiedene Gesamt- bzw. Teilentwürfe der endgültigen Komposition anzunähern, wobei die Skizzen fast den Charakter selbständiger kleiner Bildfassungen annahmen.[4]

Unser Blatt, das – wie viele der Tempera-Studien Domenico Tintorettos – durch seine expressive Ausdruckskraft besticht, gibt im Hochformat mehrere auf dem Gemälde ausgeführte Bildelemente wieder. So sind die beiden Figuren im Vordergrund unseres Entwurfes in ähnlicher Haltung rechts vorne im Gemälde zu finden, während die im Hintergrund unseres Blattes angedeutete Prozession vor einem Torbogen im Gemälde links hinten erscheint.

Auf dem verso unserer Zeichnung befinden sich zwei Figurenstudien in schwarzem Stift, von denen die eine von Hans Tietze und Erika Tietze-Conrat mit der sich nach links wendenden Figur im Vordergrund unserer Zeichnung (recto) in Verbindung gebracht wurde.[5]

Die Stiftung Ratjen bewahrt noch einen weiteren Entwurf für dieses Bild (vgl. Kat. Nr. 9), eine dritte Studie befindet sich in der Hamburger Kunsthalle.[6]

[1] Der Auftrag war zwar ursprünglich an Jacopo Tintoretto vergeben worden, wurde jedoch nach dessen Tod von seinem Sohn Domenico ausgeführt.
[2] London, British Museum, Department of Prints and Drawings, Inv. Nrn. 1907–7–17–1 bis 90.
[3] Tozzi 1937, S. 19–31.
[4] Zu Tintorettos Vorgehensweise bei der Bildvorbereitung vgl.: Freeman Bauer 1978, S. 45–57 (mit Abb.).
[5] Tietze/ Tietze-Conrat 1944, S. 267, unter Nr. 1546.
[6] Hamburg, Kunsthalle, Inv. Nr. 1950/121; vgl.: Meister 1952, S. 25–28 (mit Abb.).

Teilentwurf zur «Eroberung
Konstantinopels durch die Venezianer»

Tempera auf braungrauem Papier.
42,8 × 22,0 cm. Linke und rechte obere Ecke
angesetzt; Ergänzungen am linken und rechten
Rand.
R 909

Provenienz:
Sammlung Sohn-Rethel, Rom; Douwes Fine Art
Ltd., London.

Literatur:
Tietze/Tietze-Conrat 1944, S. 267, Nr. 1546 bis.

Wie schon die vorausgehende Katalognummer (Kat. Nr. 8) ist auch dieses Blatt
ein Teilentwurf zu dem Gemälde «Die Eroberung Konstantinopels durch die
Venezianer» (1598–1605) in der Sala del Maggior Consiglio des Dogenpalastes in
Venedig (siehe Vergleichsabbildung).

Mit diesem Entwurf wird das Thema in einer eigenständigen kleinen Bildfassung
als Hochformat vorbereitet, wobei einzelne Teile unserer Komposition in der
endgültigen, annähernd quadratischen Gemäldefassung an verschiedenen Orten
wiederzufinden sind. So weisen die Figuren links vorne auf unserem Blatt Ver-
wandtschaft mit den im ausgeführten Werk links im Vordergrund agierenden
Soldaten auf. Die Galeeren und die auf den Masten sitzenden Figuren unserer
Zeichnung hingegen bereiten in eher allgemeiner Form das Geschehen im
Hafenbecken rechts im Hintergrund der Gemäldefassung vor, wobei die eigent-
liche Eroberung der Stadt, wie sie im Bild zu sehen ist, auf unserem Blatt nicht
dargestellt ist.

Domenico Tintoretto, *Die Eroberung Konstantinopels durch die Venezianer,* Sala del Maggior Consiglio,
Dogenpalast, Venedig

Schüler von Antonio Campi in Brescia, dem er nach Cremona folgte. Um 1552 Lehre bei Girolamo Romanino, dessen Tochter Margherita er heiratete. Vor allem in Brescia, aber auch in Mantua und Cremona tätig. Von 1567 bis 1573 arbeitete Gambara an den Wand- und Deckenfresken im Dom zu Parma, die sein Hauptwerk wurden.
Ein Großteil seines Œuvre ist nicht mehr erhalten.

Fürbitte des hl. Rochus
für die Pestkranken

Feder in Braun, braun laviert, weiß gehöht, auf bräunlich getöntem Papier.
38,6 × 23,5 cm
R 142

Provenienz:
C. M. Metz (Lugt 598a); Auktion Karl & Faber, München, 91. Auktion, 14.10.1964, Nr. 178 (mit Abb.) als «Italienischer Meister»; Herbert List, München (ohne Stempel).

Literatur:
Hamburg u.a. 1965/66, S. 11, Nr. 11, Abb. 90;
Richard Harprath, in: München u.a. 1977/78, Nr. 13;
Luzern 1979, S. 18 f., Nr. 27 (mit Abb.);
Di Giampaolo 1979, S. 58;
Bora 1980, S. 64, unter Nr. 73;
Sandra Sicoli, in: Mailand 1986, S. 100, unter Nr. 34;
Tanzi 1991, S. 30, Abb. 15.

Philip Pouncey erkannte als erster, daß es sich bei dieser Zeichnung um eine Arbeit Lattanzio Gambaras handelt.[1] Unserem Blatt stilistisch und technisch besonders gut vergleichbar sind mehrere Zeichnungen des Künstlers, die mit der 1567–73 entstandenen Freskendekoration im Dom von Parma in Verbindung stehen: sie befinden sich in Windsor Castle,[2] in der Accademia Carrara, Bergamo,[3] und im Louvre;[4] drei weitere werden im British Museum aufbewahrt.[5]

Eine zweite Kompositionsstudie zur «Fürbitte des hl. Rochus für die Pestkranken», die unserem Blatt vorausgegangen zu sein scheint, befindet sich ebenfalls in der Stiftung Ratjen (siehe Vergleichsabbildung).[6] In diesem Entwurf wird Christus oben in der Mitte als strafender Weltenrichter dargestellt, flankiert von der Madonna und dem hl. Rochus, die um Erbarmen für die Kranken flehen. In der ausgestellten, weiterentwickelten Kompositionszeichnung hingegen bittet der nun links unten bei den Pestkranken kniende hl. Rochus um Erlösung von der Seuche, während Christus nicht mehr strafend, sondern seinerseits als Leidender erscheint, der Trost und Hoffnung vermittelt.

Ein ausgeführtes Gemälde Gambaras nach diesem Entwurf ist bislang nicht bekannt.

[1] Vgl.: Hamburg u.a. 1965/66, S. 11, unter Nr. 11.
[2] Windsor Castle, Royal Library, Inv. Nr. 4811; vgl.: Popham/ Wilde 1949, S. 232, Nr. 335, Abb. 73.
[3] Bergamo, Accademia Carrara, Inv. Nr. 463; vgl.: Bora 1980, S. 64, Nr. 74 (mit Abb.).
[4] Paris, Louvre, Cabinet des Dessins, Inv. Nr. 5011; vgl.: Bora 1980, S. 65, Nr. 75 (mit Abb.).
[5] London, British Museum, Department of Prints and Drawings, Inv. Nrn. 5212–39; 1946–7–13–105; 5212–41; vgl.: Popham 1967, Textband S. 25 f., Nrn. 38–40, Tafelband, Tafeln 33–35.
[6] Vaduz, Stiftung Ratjen, Inv. Nr. R 141: Feder in Braun, braun laviert, weiß gehöht über Spuren von schwarzem Stift; 28,8 × 16,3 cm.

Lattanzio Gambara, *Fürbitte des hl. Rochus für die Pestkranken*, Stiftung Ratjen, Vaduz

11 Giovan Ambrogio Figino

1548 Mailand – 1608 Mailand

Schüler von Giovanni Paolo Lomazzo. Arbeitete sowohl für kirchliche Auftraggeber als auch im profanen Bereich und als Porträtist; erwies sich vor allem in seinen religiösen Gemälden als geschickter Eklektiker. Reisen nach Venedig und Parma sind wahrscheinlich, ein Rom-Aufenthalt Figinos gilt aufgrund vieler Zeichnungsstudien nach römischen Kunstwerken als gesichert.

Skizzenblatt mit mehreren Studien

*Recto: Figuren-, Kopf-, Tier- und Gefäßstudien
Verso: Figurenstudien*
Recto: Feder in Braun, braun laviert.
Verso: Feder in Braun über Rötel.
28,8 × 22,1 cm
R 148

Provenienz:
Auktion Gerd Rosen, Berlin, 1.12.1959, Nr. 298;
Herbert List, München (Stempel nicht bei Lugt).

Literatur:
Hamburg u. a. 1965/66, S. 12, Nr. 19, Abb. 12;
Ciardi 1971, S. 270–271, Abb. 6 und 10;
Matthias Winner, in: München u. a. 1977/78, Nr. 14;
Torrini 1987, S. 20, 22, 29, 31, 34–36, Appendix S. 195, Abb. 109 und 110.

Figinos zeichnerisches Œuvre besteht überwiegend aus Blättern, die, wie auch die ausgestellte Zeichnung, aus Skizzenbüchern stammen. Vielen dieser Zeichnungen ist gemein, daß mehrere Studien zu ganz verschiedenen Themen, oft dem Werk älterer Meister entnommen, auf einem Blatt vereint sind.

Auch einige der Skizzen auf dem recto unserer Zeichnung wurden von früheren Vorbildern inspiriert. So sind die zwei Kopfstudien oben links auf unserem Blatt mit dem Kopf Christi und dem des Apostels ganz rechts in Leonardos Abendmahl verwandt. Die Halbfigur eines auf einen Stock gestützten Mannes links von der Blattmitte hat Figino seitenverkehrt Raffaels vatikanischem Teppich «Petri Heilung des Lahmen» entlehnt.[1] Der Pferdekopf, der gesporte Schuh und die zwei Schlaufen am linken Rand unserer Zeichnung scheinen Albrecht Dürers Stich «Der hl. Georg zu Pferde» von 1508 entnommen,[2] wobei Figino wohl nicht die originale Graphik, sondern eine seitenverkehrt gestochene Kopie vorlag.[3] Die Skizze eines hl. Georg mit Drachen unten links ist vermutlich ein «primo pensiero» zu dem Gemälde gleichen Themas in der Wallfahrtskirche Rho in Mailand.[4] Der zweigeteilte Drache am rechten Rand unserer Zeichnung erscheint auch auf einem Blatt in Windsor.[5]

Besonders auffallend sind die meisterhaft ausgeführten Glasgefäß-Studien, die sich ähnlich nur noch einmal auf der eben erwähnten Zeichnung in Windsor finden.[6]

Das verso unseres Blattes zeigt Figurenstudien hauptsächlich antiker Thematik, darunter Skizzen zum Selbstmord der Cleopatra sowie zu einer Lukretia, ein Thema, das häufiger in Zeichnungen Figinos auftritt.[7] Daneben finden sich Skizzen zu «Herkules und der Nemeische Löwe»,[8] zu «Odysseus, der Polyphem blendet» und die Studie eines nackten Jünglings, der ein sich aufbäumendes Pferd hält. Letztere Skizze könnte unter Umständen von einem der Dioskuren beeinflußt sein, die heute auf der Piazza del Quirinal in Rom stehen.[9] Außerdem finden sich vier Studien zu «Neptun, der die Meerespferde lenkt», ein Motiv, das in Figinos zeichnerischem Werk in variierter Form mehrfach behandelt wird, unter anderem auch auf zwei Blättern in Windsor.[10]

Roberto Ciardi vermutete, daß Figino für die Neptun-Skizzen ein Blatt seiner eigenen Sammlung als Vorlage gedient haben könnte.[11] Diese Zeichnung, die als ein Werk Michelangelos galt, konnte in neuerer Zeit als ein Blatt in der Accademia Carrara identifiziert werden, das wohl aus der Leonardo-Schule stammt.[12]

Verso von Kat. Nr. 11

1 Zum Teppich vgl.: Fischel 1962, Abb. 221; möglicherweise zeichnete Figino hier nach einer druckgraphischen Vorlage; vgl. beispielsweise: Karpinski 1971, Nr. 78.27.
2 Vgl.: Strauss 1977, S. 140, Nr. 46 mit Abb. S. 141.
3 Vgl.: Heller 1827, S. 448, Nr. 747.
4 Vgl.: Ciardi 1968, S. 228, Abb. 18.
5 Windsor Castle, Royal Library, Inv. Nr. 6908; vgl. Ciardi 1968, S. 149, Nr. 54, Abb. 64; Roberto Ciardi glaubt, daß Figino diesen Drachen einem Stich von Cornelis Cort, welcher nach einem Gemälde Federico Zuccaros entstanden ist, entnommen habe. Diese These ist allerdings nicht nachvollziehbar; vgl.: Ciardi 1971, S. 270; zum Stich vgl.: Strauss 1986, Abb. 250 und 251.
6 Windsor Castle, Royal Library, Inv. Nr. 6908; vgl.: Ciardi 1968, S. 149, Nr. 54, Abb. 64.
7 Beispielsweise auch auf drei Skizzenblättern in der Royal Library, Windsor Castle, Inv. Nrn. 6948, 6935, 6949; vgl.: Ciardi 1968, S. 179/180, Nrn. 264, 265 und 267, Abb. 168, 173 und 172/175.
8 Ein Skizzenblatt zu den Taten des Herkules wird in der Royal Library, Windsor Castle (Inv. Nr. 6966) aufbewahrt; vgl.: Ciardi 1968, S. 187, Nr. 295, Abb. 210.
9 Vgl. hierzu: Ciardi 1971, S. 270/271.
10 Windsor Castle, Royal Library, Inv. Nrn. 6952, 6945; vgl.: Ciardi 1968, S. 180 f., Nrn. 268 und 269, Abb. 177 und 182.
11 Ciardi 1968, S. 85, und Anm. 19, sowie S. 181, unter Nr. 269. Dies scheint ein Brief Giacomo Carraras an Giovanni Bottari nahezulegen; vgl.: Gould 1952, S. 293.
12 Vgl.: Gould 1952, S. 289, Anm. 1, und S. 291, Abb. 19.

12 Biagio dalle Lame, genannt Biagio Pupini

Hauptsächlich in Bologna zwischen 1511 und 1575 nachweisbar

Schüler von Francesco Francia; zeitweilige Zusammenarbeit mit Bartolomeo Bagnacavallo und Girolamo da Carpi.

Die Anbetung der Könige

Feder in Braun, braun laviert, weiß gehöht, auf blauem Papier.
22,7 × 20,4 cm. Aufgezogen. Die beiden oberen Ecken sowie ein ca. 1,5 cm breiter Streifen am unteren Rand angesetzt.
Beschriftung auf der Montierung verso oben:
«R. 39./Le. 41./R. 60/M.»
R 811

Provenienz:
Jonathan Richardson Sen. (Lugt 2184), dessen Montierung mit der Aufschrift recto: «Biaggio Bolognes°.»; Sir Thomas Lawrence; Sir J. C. Robinson (Lugt 1433 und Lugt 2141 b);[1] John Malcolm; The Hon. A. E. Gathorne-Hardy; Geoffrey Gathorne-Hardy; The Hon. Robert Gathorne-Hardy; Auktion seiner Sammlung bei Sotheby's, London, 24.11.1976, Nr. 15 (mit Abb.).

Literatur:
Robinson 1869, Nr. 231;
Ballantyne Press 1902, Nr. 19;
Edinburgh 1969, S. 34, Nr. 71, Tafel 36;
London/ Oxford 1971/72, Nr. 23, Tafel XVII;
Richard Harprath, in: München u. a. 1977/78, Nr. 66;
Luzern 1979, S. 26, Nr. 37;
London 1992, Nr. 48 (mit Abb.).

Das ausgestellte Blatt reiht sich in eine Gruppe stilistisch wie technisch vergleichbarer Zeichnungen ein, die, zum Teil aufgrund alter Aufschriften oder – wie in unserem Falle – Zuschreibungen aus dem 18. Jahrhundert, mit Pupini in Verbindung gebracht werden.[2] Ihnen allen ist die lockere, auf die Wiedergabe von Details fast völlig verzichtende Federzeichnung und die großzügige Anwendung von Weißhöhungen gemein, was den Blättern in Verbindung mit dem oft farbigen Papiergrund einen malerischen Charakter verleiht.

Wie schon im Katalog der Ausstellung in Edinburgh 1969 beobachtet wurde,[3] zeigt unsere Zeichnung den Einfluß Girolamo da Carpis, mit welchem Pupini 1525/26 an der Ausgestaltung der Sakristei von San Michele in Bosco in Bologna zusammenarbeitete.

Die wechselseitige Beeinflussung und enge Zusammenarbeit beider Künstler wird auch bei einer Zeichnung Pupinis erkennbar, die ebenfalls eine «Anbetung der Könige» darstellt[4] und mit einem Gemälde Girolamo da Carpis desselben Themas (ehemals Berlin, Sammlung Prinz Heinrich von Preußen)[5] in direktem Zusammenhang zu stehen scheint.

Zwei weitere, unserem Blatt stilistisch vergleichbare Zeichnungen Pupinis mit der «Anbetung der Könige» befinden sich in Windsor Castle[6] und in Chatsworth.[7]

[1] Dessen Signatur mit Jahreszahl: «J. C. Robinson/1860» auf der Montierung verso unten.
[2] Vgl. hierzu u. a.: San Marino 1969/70, S. 4 f., Nr. 2 (mit Abb.); Popham/Wilde 1949, S. 306, Nr. 781, Abb. 146, sowie: Kat. Auktion Sotheby's, London, 4.7.1975, Nr. 54, Abb. S. 82.
[3] Vgl.: Edinburgh 1969, S. 34, unter Nr. 71.
[4] Ehemals Chatsworth, Sammlung des Herzogs von Devonshire, Nr. 44; vgl.: Kat. Auktion Christie's, London, *Old Master Drawings from Chatsworth,* 3.7.1984, Nr. 38 (mit Abb.).
[5] Vgl.: Mezzetti 1977, S. 65, Nr. 2, Taf. 16.
[6] Windsor Castle, Royal Library, Inv. Nr. 0314; vgl.: Popham/Wilde 1949, S. 306, Nr. 782, Taf. 98.
[7] Chatsworth, Sammlung des Herzogs von Devonshire, Nr. 138; vgl.: Jaffé 1994, S. 186, Nr. 613 (mit Abb.).

13 Pellegrino Tibaldi

1527 Puria di Valsolda (Luganer See) – 1596 Mailand

Erste Ausbildung in Bologna.
Ab 1547/49 bis 1553 in Rom tätig, wo
Tibaldi vor allem durch die Werke
Michelangelos beeinflußt wurde. Führte
nach Perino del Vagas Tod (1547) die
unfertig gebliebene Dekoration der Sala
Paolina im Castel Sant'Angelo zu Ende.
Ab 1561 in Mailand als Maler und
Architekt tätig. Von Philipp II. nach
Spanien berufen, arbeitete Tibaldi ab
1588 als Hauptarchitekt und Nachfolger
Federico Zuccaros an der Ausstattung
des Escorial. Kehrte 1596 nach Mailand
zurück.

Die Heilige Familie
mit dem Johannesknaben

Feder in Braun, braun laviert, weiß gehöht, über
Spuren von schwarzem Stift; in schwarzem Stift
quadriert.
41,4 × 25,2 cm. Aufgezogen.
Beschriftung auf der alten Montierung in brauner
Feder: «Domenichino – (from Benjamin West's
collection – previously in Jonathan Richardson's)»;
Auf der Rückseite der Montierung dieselbe Auf-
schrift wiederholt.
R 794

Provenienz:
Jonathan Richardson Jun. (Lugt 2170); Benjamin
West (Lugt 419); Auktion Sotheby's, London,
21.11.1974, Nr. 6 (mit Abb.); Herbert List,
München (ohne Stempel).

Literatur:
Richard Harprath, in: München u.a. 1977/78,
Nr. 67;
Luzern 1979, S. 26, Nr. 38;
Jürgen Winkelmann, in: Fortunati Pietrantonio
1986, Bd. 2, S. 477 f., Abb. S. 497;
London 1992, Nr. 58 (mit Abb.).

Die Zuschreibung dieses Blattes an Pellegrino Tibaldi geht auf Philip Pouncey zurück. Aufgrund der bildmässigen Ausführung und der Quadrierung ist anzunehmen, daß die Zeichnung als modello für ein heute nicht mehr nachzuweisendes Gemälde konzipiert war.

Bei unserer Komposition wird die enge Verbindung Tibaldis mit der klassizistischen Tradition Bologneser Künstler wie Innocenzo da Imola und Bartolomeo und Giambattista Bagnacavallo deutlich. Dies hat schon Jürgen Winkelmann beobachtet,[1] der die Ähnlichkeit der Figur des Johannesknaben in unserer Zeichnung mit der in Giambattista Bagnacavallos «Sacra Conversazione»[2] hervorhebt.

Die genaue zeitliche Einordnung des Blattes in das Œuvre Tibaldis erweist sich bislang als schwierig. Richard Harprath sieht kompositorische Vergleichsmomente mit der Gruppe der Hl. Familie in dem 1548 datierten Gemälde «Anbetung der Hirten» in der Galleria Borghese, weist aber darauf hin, daß unsere Zeichnung stilistisch gesehen eigentlich in eine spätere Zeit seines Schaffens gehören muß.[3] Dem ausgestellten Blatt vergleichbar ist die Zeichnung «Tobias und der Erzengel Gabriel» in den Uffizien, die von John Gere Tibaldi zugeschrieben und in dessen römische Zeit (circa 1547/49–1553) datiert wurde.[4] Aus diesen Jahren stammt wohl auch unsere Komposition.

[1] J. Winkelmann, in: Fortunati Pietrantonio 1986, Bd. 2, S. 477.
[2] Bologna, Pinacoteca Nazionale; vgl.: Fortunati Pietrantonio 1986, Bd. 2, Abb. S. 438.
[3] R. Harprath, in: München u.a. 1977/78, S. 146, unter Nr. 67.
[4] Florenz, Gabinetto Disegni e Stampe degli Uffizi, Inv. Nr. 477 S; vgl.: Gere 1960, S. 16, Abb. 23.

14 Federico Barocci

Circa 1535 Urbino – 1612 Urbino

Erster Unterricht bei seinem Vater Ambrogio, später bei Battista Franco. Hielt sich um 1555 und 1560–63 in Rom auf, wo er zusammen mit Taddeo und Federico Zuccaro an der Ausmalung des Casinos Pius' IV. in den Vatikanischen Gärten arbeitete. Nach Urbino zurückgekehrt, bekam er Aufträge aus ganz Mittelitalien, aber auch von Kaiser Rudolph II. aus Prag. Besonders durch die Werke Raffaels und Correggios beeinflußt, trug Barocci entscheidend zur Erneuerung der Malerei um 1600 bei.

Studie zu einer «Kreuzabnahme Christi»

Recto: Aktstudie zu einer männlichen Figur, die auf einer Leiter steht und eine zweite Figur abstützt
Verso: Draperiestudien
Recto und verso: Schwarze und weiße Kreide, gewischt, auf blaugrauem Papier. Die Figur auf der Leiter durchgegriffelt.
36,4 × 21,4 cm
Beschriftung recto unten in brauner Feder:
«p.° Schizzo della deposizione di croce f... da federico Baroz.../ per Senigall...»;
unten rechts von anderer Hand in brauner Feder: «cento settant'ott[o]»;
oben links von der gleichen Hand in brauner Feder: «17 [8]»;
Beschriftung verso unten links in brauner Feder: «di federico Bar...zzi»
R 858

Provenienz:
Der sogenannte «doppelt-numerierende Sammler» mit dessen Beschriftung recto links oben und rechts unten (s. o.); P.O. Dubaut, Paris (Lugt 2103b); Hans Calmann, London.

Literatur:
Cleveland/New Haven 1978, S. 48 f., Nr. 20 (mit Abb.);
Smith 1978, S. 333.

Unser Blatt diente der Vorbereitung des Altarbildes «Kreuzabnahme Christi», das sich in der Capella di San Bernardino im Dom von Perugia befindet (siehe Vergleichsabbildung). Der Vertrag für dieses Gemälde wurde 1568 unterzeichnet, das Bild am 24. Dezember 1569 in der Kapelle angebracht.[1]
Harald Olsen führte sechsunddreißig Zeichnungen mit vorbereitenden Studien zu diesem Projekt auf.[2] Inzwischen konnten – neben unserer Zeichnung – noch weitere Studien zu diesem Gemälde in Rom,[3] München,[4] Edinburgh[5] und Florenz[6] gefunden werden.
Bei der vorliegenden Zeichnung handelt es sich um eine Aktstudie zur männlichen Figur links oben im Gemälde, die von einer Leiter aus den Leichnam Christi abstützt. Die Figur Christi und diejenige eines Mannes, der die Leiter hält, sind skizzenhaft angedeutet. Unserem Blatt vorausgegangen zu sein scheint eine in der Bibliotheca Hertziana aufbewahrte Studie, in der die Arm-, Kopf- und Beinhaltung des Mannes auf der Leiter noch erheblich von der endgültigen Lösung abweicht.[7]
Die durchgegriffelten Konturen der Hauptfigur unseres Blattes dienten Barocci als Grundlage für drei weitere Zeichnungen, in denen er die Haltung dieser Figur im Ganzen sowie deren Beinstellung weiterentwickelte.[8]

[1] Vgl.: Olsen 1962, S. 152, unter Nr. 21.
[2] Olsen 1962, S. 152–153. Das von Olsen angeführte Blatt in der Sammlung F.A. Drey, London, das sich heute im Metropolitan Museum of Art, New York (Robert Lehman Collection, 1975.I.269), befindet, stammt – wie schon Anna Forlani Tempesti richtig erkannte – nicht von Barocci, sondern von Alessandro Casolani; vgl.: Olsen 1962, S. 153, unter Nr. 21, Abb. 24b, sowie: Forlani Tempesti 1991, S. 311 ff., Nr. 102.
[3] Rom, Bibliotheca Hertziana, Inv. Nr. 3; vgl.: Bologna 1975, S. 77, Nr. 46 (mit Abb. des recto).
[4] München, Staatliche Graphische Sammlung, Inv. Nr. 1952:35; vgl.: München 1967, S. 51, Nr. 6, Tafel 48.
[5] Edinburgh, National Gallery of Scotland, Inv. Nr. D.725; vgl.: Andrews 1968, Textband S. 12, Tafelband Abb. 110.
[6] Florenz, Gabinetto Disegni e Stampe degli Uffizi, Inv. Nr. 9348S.822E; vgl.: Bologna 1975, S. 78, Nr. 49 (mit Abb.).
[7] Rom, Bibliotheca Hertziana, Inv. Nr. 3, recto; vgl.: Bologna 1975, S. 77, Nr. 46 (mit Abb.).
[8] Berlin, Staatliche Museen Preußischer Kulturbesitz, Kupferstichkabinett, Inv. Nrn. KdZ 20462(3747), KdZ 20465(4270), KdZ 20464 (4286); vgl.: Emiliani 1985, Bd. I, Abb. 124–126, Bd.II, S. 441.

Federico Barocci, *Kreuzabnahme Christi*, Dom, Perugia

15 Ventura Salimbeni

1568 Siena–1613 Siena

Maler und Radierer.
Erste Ausbildung bei seinem Vater
Arcangelo. Wie sein Stiefbruder
Francesco Vanni entscheidend von der
Kunst Federico Baroccis beeinflußt. Von
1588 bis 1596 in Rom, später vor allem
in der Toskana tätig. Gehört zur
spätmanieristischen Künstlergeneration
an der Wende zum Frühbarock in Siena.

Geburt Mariens

Feder in Braun und Rot, rötlich und braun laviert,
weiß gehöht, über Rötel, auf gelb-braun getöntem
Papier; in Rötel quadriert.
33,7 × 23,1 cm. Aufgezogen.
Unleserliche Beschriftung unten links in brauner
Feder.
R 919

Provenienz:
George Usslaub (Lugt 1221); Jacques Petithory,
Paris (Stempel nicht bei Lugt); Privatbesitz Genf.

Die Zeichnung wurde vom Autor als Vorstudie zu dem circa 1605–10 entstandenen Gemälde Salimbenis in der Kirche San Domenico in Ferrara identifiziert.[1]
Peter Anselm Riedl vermutet, daß das Bild von Bonifazio Bevilacqua, der damals Bischof von Cervia und Gönner Salimbenis war, in Auftrag gegeben wurde und möglicherweise ursprünglich für die Dekoration der Familienkapelle der Bevilacqua in San Domenico vorgesehen war.[2]
Ein «primo pensiero» zum Gemälde befindet sich in den Uffizien.[3] Von dieser Zeichnung ausgehend, scheint Salimbeni neben unserem Blatt noch eine weitere, ähnlich bildmäßig durchgeführte Kompositionsstudie zu einer Lünette mit der «Geburt Johannes des Täufers» entwickelt zu haben, die im Teylers Museum in Haarlem aufbewahrt wird.[4]
Die detailliert ausgeführte Komposition unserer Zeichnung, die aufgrund des eingefärbten Papiers zusätzlich malerischen Charakter erhält und wohl als modello für den Auftraggeber bestimmt war, wurde bis auf einige kleine Veränderungen in die Gemäldefassung übernommen.

[1] Zum Gemälde vgl.: Riedl 1959–60, S. 238 ff., Abb. 20.
[2] Die Rosenkranzkapelle, in der das Bild heute hängt, wurde erst im Zuge der Umgestaltung von San Domenico Anfang des 18. Jahrhunderts eingerichtet; vgl.: Riedl 1959–60, S. 240 und Anm. 41.
[3] Florenz, Gabinetto Disegni e Stampe degli Uffizi, Inv. Nr. 835 E; vgl.: Florenz 1976, S. 97 f., Nr. 105, Abb. 105.
[4] Haarlem, Teylers Museum, Inv. Nr. AX 38; vgl.: Meijer o. J., S. 272, Nr. 37, S. 43, Abb. 37. Bert W. Meijer und Carel van Tuyll vermuten, daß der Entwurf in Haarlem zusammen mit einer weiteren, ebenfalls im Teylers Museum (Inv. Nr. AX 39) aufbewahrten Kompositionsstudie, die die Verkündigung an Zacharias darstellt, in Zusammenhang mit den heute nicht mehr erhaltenen Lünetten im Oratorio di San Giovanni Battista della Compagnia della Morte in Siena stehen könnte; vgl.: B. W. Meijer und C. van Tuyll, in: Florenz/Rom 1983/84, S. 64, unter Nr. 19.

16 Cesare Franchi,
genannt il Pollino

Perugia (?) – Rom vor 1601 (?)[1]

Soweit bekannt, hauptsächlich als Miniaturmaler tätig; durch die Kunst Michelangelos und des Manierismus beeinflußt.

Skizzenblatt mit Figuren- und Puttenstudien

Feder in Braun, grau und braun laviert, weiß gehöht, auf blauem Papier.
circa 27,8 × 26,2 cm (unregelmässig beschnitten)
R 923

Provenienz:
Carlo Prayer (Lugt 2044); Juan und Felix Bernasconi (mit deren Signatur und Jahreszahl «1977» in Kugelschreiber verso); Auktion Christie's, London, 7.7.1987, Nr. 70 (mit Abb.); Stephen Somerville Ltd., London.[2]

Über Leben und Werk von Cesare Franchi, genannt il Pollino, ist wenig bekannt.[3] Seine Biographen (Crispolti 1648, Orlandi 1704 und Pascoli 1732) überliefern uns lediglich ungefähre Daten und die Mitteilung, daß er in Perugia vor allem als Miniaturmaler tätig gewesen sei.[4] In der Handschriftenabteilung des British Museum werden zwei solcher Miniaturen aufbewahrt,[5] fünf befinden sich in der Galleria Nazionale dell' Umbria in Perugia,[6] zwei in der dortigen Biblioteca comunale «Augusta»[7] und eine weitere im Convento di Sant' Agostino,[8] ebenfalls in Perugia.

Unsere Kenntnis von Pollinos Zeichenstil ist vor allem Philip Pouncey zu verdanken, der – ausgehend von zwei mit alten Beschriftungen versehenen Zeichnungen in Oxford[9] und Edinburgh[10] – überzeugend eine Gruppe stilistisch verwandter Blätter zusammenstellte.[11]

Eine Reihe der uns erhaltenen Zeichnungen Pollinos beschäftigt sich variierend mit dem Thema der Hl. Familie.[12] Die Mehrzahl dieser Blätter ist in brauner Feder mit Lavierung über Vorzeichnung in Rötel ausgeführt, jedoch lassen sich auch einige wenige Zeichnungen nachweisen, bei denen es sich, wie beim ausgestellten Blatt, um Federzeichnungen mit Weißhöhung auf farbigem Papier handelt.[13]

Eine unserem Blatt sowohl technisch und stilistisch als auch in der motivischen Vielfalt eng verwandte Zeichnung befindet sich im Louvre.[14] Beide Blätter zeigen Pollinos Vorliebe für die Darstellung spielender beziehungsweise sich miteinander beschäftigender Putten, die sich auf vielen weiteren seiner Zeichnungen und Miniaturen finden lassen.

Eine chronologische Ordnung der Zeichnungen Pollinos ist aufgrund der wenigen uns gegebenen Anhaltspunkte bislang nicht möglich.

---

[1] Vgl.: Sapori 1988, S. 745.
[2] Verkaufskatalog Stephen Somerville Ltd., *Exhibition of Watercolours, Drawings & Paintings, June 22nd – July 15th 1988 at Bernheimers,* London 1988, Nr. 2 (mit Abb.).
[3] Vgl.: Mancini 1987, S. 36–43, sowie: Sapori 1988, S. 745.
[4] Vgl.: Crispolti 1648, S. 382; Orlandi 1704, S. 122; Pascoli 1732, S. 167 f.
[5] London, British Museum, Department of Books and Manuscripts; (Photos Witt Library, London).
[6] Vgl.: Mancini 1987, S. 40–42, Abb. 12–16.
[7] Vgl.: Mancini 1987, S. 45, Abb. 18, und S. 48, Abb. 19.
[8] Vgl.: Mancini 1987, S. 43, Abb. 17.
[9] Oxford, Christ Church, Inv. Nr. 0742; vgl.: Byam Shaw 1976, Bd. I, S. 97, Nr. 269, Bd. II, Taf. 182.
[10] Edinburgh, National Gallery of Scotland, Inv. Nr. D 2895; vgl.: Andrews 1968, Bd. I, S. 98, Bd. II, Abb. 683.
[11] Vgl.: Zeichnungen in London, British Museum, Department of Prints and Drawings, Inv. Nrn. 1948-2-23-I; 1946-7-13-619, sowie in Paris, Louvre, Cabinet des Dessins (vgl.: F. Viatte, in: Paris 1978, Nrn. 77–82).
[12] Vgl.: Di Giampaolo 1990, S. 19–24. Weitere Zeichnungen mit Variationen zur Hl. Familie in dieser Technik befinden sich in der Henry E. Huntington Library and Art Gallery, San Marino (Kalifornien) (vgl.: San Marino 1969/70, S. 7, Nr. 6 (mit Abb.)) und ehemals in der Sammlung Felton Gibbons, Hopewell, New Jersey (vgl.: Verkaufskatalog Nissman, Abromson, Ltd., *Master Drawings 16th–19th Century,* New York 1994, Nr. 5 (mit Abb.)).
[13] Vgl. zum Beispiel eine Zeichnung in der Sammlung Janos Scholz, New York (vgl.: Washington, D.C./New York 1973/74, S. 27, Nr. 19, Abb. S. 26), sowie ein Blatt in der National Gallery of Art, Washington, D.C. (Inv. Nr. 1975.57.1).
[14] Paris, Louvre, Cabinet des Dessins, Inv. Nr. 10.209; (Photo Kunsthistorisches Institut, Florenz).

17 Giorgio Vasari

1511 Arezzo – 1574 Florenz

Kam 1524 nach Florenz und wurde ein großer Verehrer der Kunst Michelangelos. Eng befreundet mit Francesco Salviati, mit dem er circa 1531/32 nach Rom ging. Später in den Diensten Cosimo I. de' Medicis als Architekt und Dekorateur der Uffizien und des Palazzo Pitti. Daneben auch als Schriftsteller tätig; wurde besonders für seine Künstlerbiographien, die sogenannten «Viten», berühmt, die 1550 und 1568 erschienen. Erster systematischer Sammler von Zeichnungen, die er in seinem «Libro dei Disegni» zusammenstellte.

Das Jüngste Gericht

Feder in Braun, braun laviert; in schwarzem Stift quadriert.
41,5 × 19,7 cm (oben abgerundet)
R 2

Provenienz:
Unidentifizierter Stempel verso (vermutlich ein Ausfuhrstempel); Auktion Weinmüller, München, 13.10.1938, Nr. 699; Bernhard Funck, München (Stempel nicht bei Lugt); Herbert List, München (Stempel nicht bei Lugt).

Literatur:
Monbeig-Goguel 1972, S. 152, unter Nr. 198;
Gunther Thiem, in: München u. a. 1977/78, Nr. 41;
Luzern 1979, S. 64, Nr. 112;
Julian Kliemann, in: Arezzo 1981, S. 95, Nr. 36b, Abb. 159;
Ieni 1985, S. 53.

Zwischen 1566/67 und 1569 arbeitete Vasari an einem von Papst Pius V. in Auftrag gegebenen Altarwerk, das im Juni 1570 in der Kirche Santa Croce in Bosco Marengo bei Alessandria, dem Geburtsort des Papstes, aufgestellt wurde. Vasaris schriftliche Überlieferungen berichten eingehend von diesem Projekt.[1] Es handelte sich hierbei um einen freistehenden Altar, «nicht ein Bild wie gewöhnlich, sondern eine gewaltige machina in der Art eines Triumphbogens mit zwei großen Bildern auf der vordern und auf der Rückseite...».[2]

Die ausgestellte Zeichnung ist ein Entwurf zu der auf der Vorderseite des Altars angebrachten Mitteltafel mit der Darstellung des Jüngsten Gerichtes.[3] Ein weiteres Blatt im Louvre, das dem Künstler wohl als modello diente, zeigt nicht nur die bildliche Gestaltung der Mitteltafel, sondern auch den sie umfassenden architektonischen Rahmen und dessen Dekoration.[4]

Ein ungefähres Aussehen der endgültigen Ausführung des Altarwerkes, das 1710 in einzelne Teile zerlegt wurde, gibt ein Gemälde eines unbekannten römischen Manieristen wieder, das sich noch heute in der Capella di San Antonino in Santa Croce befindet.[5]

[1] Vgl.: Frey 1930, S. 305, Anm. 3, DLXXI – DLXXIX, S. 329, Brief DLXXXIV; Le Ricordanze Nr. 346.
[2] Vgl. hierzu: Vasari/Milanesi, Bd. VII, S. 705; zitiert nach: Burckhardt 1924, S. 293.
[3] Auf der rückwärtigen Tafel des Altares war der Tod des Petrus Martyr dargestellt.
[4] Paris, Louvre, Cabinet des Dessins, Inv. Nr. 2153; vgl.: Monbeig-Goguel 1972, S. 152, Nr. 198 (mit Abb.).
[5] Vgl.: Ieni 1985, S. 50, Abb. 2.

18 Jacopo Ligozzi

1547 Verona – 1627 Florenz

Ausbildung bei seinem Vater Giovanni Ermanno Ligozzi. Besondere Vorliebe für die Miniaturmalerei. Seit 1578 in Florenz, wo er Hofmaler der Medici wurde. Neben veronesischen Einflüssen zeigt Ligozzis Kunst Anklänge an deutsche und niederländische Vorbilder. Großes Ansehen erwarb er sich durch seine minutiös ausgeführten Pflanzen- und Tierstudien.

Christus vor Herodes

Feder in Dunkelbraun, braun laviert, weiß gehöht, auf bräunlich präpariertem Papier.
46,9 × 37,4 cm. Aufgezogen.
R 586

Provenienz:
Richard von Kühlmann, Ohlstadt; Auktion Karl & Faber, München, 80. Auktion, 14.–16.5.1962, Nr. 153 (mit Abb.) als «Unbekannter italienischer Meister, wohl piemontesisch»; Herbert List, München (ohne Stempel).

Literatur:
Hamburg u. a. 1965/66, S. 12, Nr. 18, Abb. 11; Venedig 1971, S. 86, Nr. 115 (mit Abb.); Bacci 1974, S. 271, Abb. 200; Richard Harprath, in: München u. a. 1977/78, Nr. 44; Luzern 1979, S. 66, Nr. 115 (mit Abb.).

Die Zuschreibung der Zeichnung an Jacopo Ligozzi stammt von Bernhard Degenhart.[1] Das Blatt ist ein typisches Beispiel für Ligozzis miniaturhaft durchgeführte Federzeichnungen, die in ihrer Technik von Weiß- oder auch Goldhöhung auf dunkel grundiertem Papier eine grisailleartige Wirkung haben. Eine Variante unserer Zeichnung mit beträchtlichen Unterschieden in der Figurenanordnung befindet sich in Privatbesitz (siehe Vergleichsabbildung).[2] Ein weiteres, in Technik und Format entsprechendes Blatt, das die «Vorführung des gegeißelten Christus durch Pilatus» darstellt, bewahrt die Albertina.[3] Richard Harprath vermutete wohl zu Recht, daß die Zeichnung in der Albertina zusammen mit dem ausgestellten Blatt zu einem Passionszyklus gehört haben könnte.[4]

Die Palastarchitektur im Hintergrund unserer Zeichnung hält Terence Mullaly für eine Ansicht der Piazza dei Signori in Verona.[5] Der auf dem Blatt dargestellte hohe Bogen und die dahinter sichtbaren Gebäude venetischen Typs entsprechen den heutigen Gegebenheiten jenes Ortes jedoch nur allgemein. Falls die Lokalisierung Mullalys zuträfe, könnte dies ein Hinweis für die Datierung der Zeichnung in die Veroneser Zeit (vor 1578) des Künstlers sein. Andererseits zeigt das ausgestellte Blatt stilistische Ähnlichkeiten mit einer Reihe von Zeichnungen aus der frühen Florentiner Zeit Ligozzis. Als Beispiele wären vier Entwürfe zu Dantes «Göttlicher Komödie» in Oxford[6] und Wien,[7] die vom Künstler mit 1587 bzw. 1588 datiert wurden, sowie eine 1590 entstandene hl. Magdalena im Berliner Kupferstichkabinett zu nennen.[8]

---

[1] Passepartoutnotiz von Herbert List.
[2] «Christus vor Herodes», Feder in Dunkelbraun, braun laviert, weiß gehöht, auf bräunlich präpariertem Papier, 45,1 × 37,4 cm, Privatbesitz (ehemals Galerie Sabrina Förster, Düsseldorf).
[3] Wien, Albertina, Inv. Nr. 1655; vgl.: Stix/Fröhlich-Bum 1926, Nr. 215, Abb. S. 109.
[4] R. Harprath, in: München u. a. 1977/78, S. 100, unter Nr. 44.
[5] Venedig 1971, S. 86, unter Nr. 115.
[6] Oxford, Christ Church, Inv. Nrn. 0233, 0234, 0235; vgl.: Byam Shaw 1976, Vol. I, S. 86, Nrn. 215 und 216, S. 87, Nr. 217, Vol. II, Abb. 140, 141,143.
[7] Wien, Albertina, Inv. Nr. 1660; vgl.: Stix/Fröhlich-Bum 1926, S. 106, Nr. 212, Abb. S. 107. Ein weiteres, technisch und stilistisch vergleichbares Blatt in einer Privatsammlung in Venedig kann aufgrund des auf der Zeichnung dargestellten Mediceischen Wappens ebenfalls in die Florentiner Zeit datiert werden; vgl.: Venedig 1971, S. 87, Nr. 116 (mit Abb.).
[8] Berlin, Staatliche Museen Preußischer Kulturbesitz, Kupferstichkabinett, Inv. Nr. KdZ 5186; (Photo Kunsthistorisches Institut, Florenz).

Jacopo Ligozzi, *Christus vor Herodes,* Privatbesitz (ehemals Galerie Sabrina Förster, Düsseldorf)

Murmeltier

Feder in Braun, Lasur- und Deckfarben.
33,0 × 42,1 cm. Aufgezogen.
Rechts der Blattmitte an einer Felsstufe signiert
und datiert: «Jacopo Ligozzi Faciebat 1605»
R 707

Provenienz:
Auktion Sotheby's, London, 13.12.1973, Nr. 23,
Abb. S. 46; Herbert List, München (Stempel nicht
bei Lugt).

Literatur:
Richard Harprath, in: München u. a. 1977/78,
Nr. 45;
Luzern 1979, S. 66, Nr. 116.

Jacopo Ligozzi verdankt seinen Ruhm vor allem den meisterhaften Tier- und Pflanzenstudien, die er als Hofkünstler der Medici in Florenz ausführte und deren Mehrzahl noch heute in den Uffizien aufbewahrt wird. Angeregt und gefördert wurde er bei diesen Arbeiten von dem Bologneser Naturforscher Ulisse Aldrovandi (1522–1605).[1]

In dieser Darstellung eines Murmeltiers, die Ligozzi wohl nicht ohne Stolz mit vollem Namen signiert und datiert hat, kommen seine technischen und künstlerischen Fähigkeiten eindrucksvoll zur Geltung. Mit einer an Dürer erinnernden Präzision sind die Details wiedergegeben, so besonders die Kopfpartie, die zahllosen, in ihrer Helligkeit abgestuften Haare des Fells und die vier mit langen Krallen bewehrten Pfoten. Dabei kann dieses Murmeltier wohl kaum als Beispiel einer völlig naturgetreuen Wiedergabe gelten: der sehr gedrungene Körperbau fast ohne Kopfansatz dürfte sich von seinem natürlichen Vorbild erheblich unterschieden haben.

Einen farblich belebenden Kontrast zu den dominierenden Grau- und Brauntönen der Zeichnung setzt der links unten dargestellte Zweig mit drei Pflaumen. Mit der im Vordergrund gezeigten Fliege beabsichtigte der Künstler wohl den Effekt eines «trompe l'œil»; durch die etwas zu starke Aufsicht und ihre natürliche Größe erweckt sie den Eindruck, nicht auf dem Gestein, sondern auf der Zeichnung selbst zu sitzen.

[1] Vgl.: M. Bacci und A. Forlani, in: Florenz 1961, S. 8 ff.

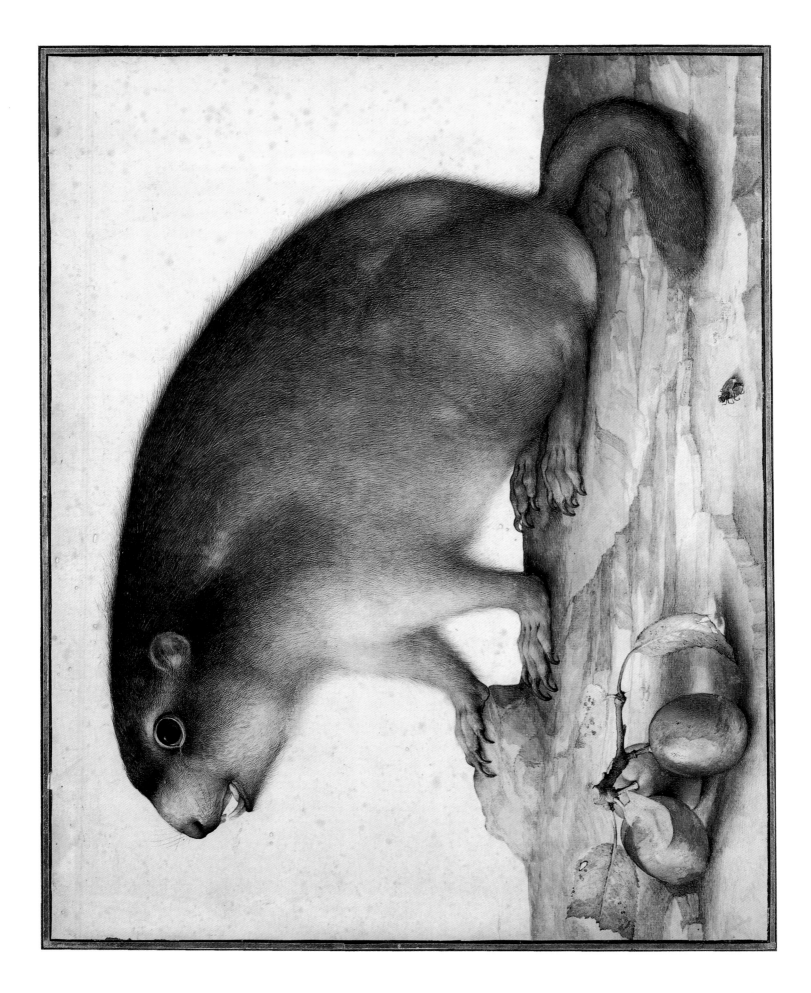

20 **Domenico Cresti,**
genannt **Passignano**

Circa 1550/55[1] Passignano – 1638 Florenz

*Schüler von Girolamo Macchietti und
Giovanni Battista Naldini, später
von Federico Zuccaro, den er 1574–79
bei der Ausmalung der Florentiner
Domkuppel unterstützte. Folgte Zuccaro
1579 nach Rom und 1581 nach Venedig,
wo er durch die Werke Tizians,
Tintorettos und Veroneses nachhaltig
beeinflußt wurde. Vor allem in Florenz
und Rom tätig.*

Aufbahrung des hl. Antoninus

Feder in Braun, braun laviert, über schwarzem
Stift, Korrekturen in Deckweiß.
26,4 × 38,0 cm. Am oberen und linken unteren
Rand ergänzt.
Beschriftung recto unten: «D. Passignano»
R 871

Provenienz:
Baron Landau-Finaly (Lugt 1334c), Nr. 192;
Sammlung Tor Engestroem, Stockholm; Auktion
Christie's, London, 5.7.1983, Nr. 53 (mit Abb.).

Im Jahre 1589 aus Venedig nach Florenz zurückgekehrt, schuf Passignano im
Auftrag der Familie Salviati zwei große Fresken in der Capella di San Antonino
in San Marco, durch die er seinen Ruf in Florenz begründete.

Bei unserer Zeichnung handelt es sich um einen Kompositionsentwurf zum
Fresko «Aufbahrung des hl. Antoninus», das sich rechts im Vorraum der
Kapelle befindet. Die Zeichnung weist erhebliche Unterschiede gegenüber dem
ausgeführten Werk auf. So ist der Leichnam des Antoninus im Fresko auf einem
in den Hintergrund versetzten Grabmonument aufgebahrt. Auch die Anordnung der Figuren im Vordergrund weicht stark von der endgültigen Ausführung
ab. Diese Änderung mag zum Teil darin begründet liegen, daß anstelle *einer*
Türöffnung, wie es die Zeichnung zeigt, in der Kapelle zwei portalähnliche Ein-
lässe eingebaut wurden.

Ein früheres Stadium in der Entwicklung der Komposition scheint in einer
Zeichnung festgehalten zu sein, die sich im Münchner Kunsthandel befand.[2] In
der auf Kontur verzichtenden Pinseltechnik, die beiden Kompositionsstudien
eigen ist, kommt der Einfluß venezianischer Künstler auf Passignanos Zeichenstil zum Ausdruck.

[1] Zur Neudatierung des oft mit 1558/60 angegebenen Geburtsdatums vgl.: Thiem 1977[a], S. 278.
[2] Vgl.: Verkaufskatalog Katrin Bellinger, *Italienische Zeichnungen,* München 1988, Nr. 7 (mit Abb.).

D. Passignano

21 Bernardino Poccetti

1548 San Mariano di Valdelsa – 1612 Florenz

Schüler von Michele Ridolfo del Ghirlandaio, später von Bernardo Buontalenti. 1573 an der Accademia del Disegno immatrikuliert. 1579/80 Rom-Aufenthalt; Beeinflussung durch Werke der Hochrenaissance, insbesondere durch die Kunst Andrea del Sartos. Fast ausschließlich in Florenz als Freskant tätig.

Der Ordensgeneral Buonagiunta Manetti stirbt während der Messe

Feder in Braun, braun laviert, über schwarzem Stift; in Rötel quadriert.
24,9 × 40,2 cm (oben abgerundet). Aufgezogen.
R 920

Provenienz:
Pierre-Jean Mariette (Lugt 1852), dessen Montierung mit der Aufschrift «Bernardin[o] Poccetti»; Auktion seiner Sammlung, Paris 1775, Nr. 607 (mehrere Blätter in dieser Nummer); Käufer: Le Brun; William Esdaile (Lugt 2617);[1] Auktion seiner Sammlung, Christie's, London, 18.6.1840, Nr. 29 (zwei Blätter in dieser Nummer); Käufer: Mr. Sheath; Thomas Thane (Lugt 2433);[2] Jacques Petithory, Paris (Stempel nicht bei Lugt); Privatbesitz Boston.

Literatur:
Paris 1971a, Nr. 82 (mit Abb.[3]);
Bean 1972a, S. 164;
Thiem 1977a, S. 269–271, unter Nr. 11, Abb. 228;
Florenz 1980, S. 80, 90–92;
Macandrew 1980, Appendix 2, S. 272, unter Nr. 471.

Zwischen 1604 und 1612 arbeitete Poccetti an einer Serie von 14 Lünettenfresken im Chiostro Grande der SS. Annunziata in Florenz. Dieser Zyklus stellte Szenen aus dem Leben der Gründungsmitglieder des Servitenordens dar.

Beim ausgestellten Blatt handelt es sich um eine Kompositionsstudie zur Lünette 4, die sich am Südflügel des Kreuzganges befindet. Das Fresko ist mit Poccettis Initialen und einer nicht mehr einwandfrei zu entziffernden Jahreszahl, vermutlich «1612», versehen.[4] In einigen Details, besonders in der Haltung der Figuren im Vordergrund, weicht unsere Studie leicht von der endgültigen Ausführung ab.

Als «primo pensiero» zu dieser Komposition darf ein Blatt im Metropolitan Museum, New York, gelten, das erstmals von Philip Pouncey Poccetti zugeschrieben wurde.[5] Neben diesen beiden Entwürfen zur Gesamtkomposition der Lünette hat sich eine Anzahl von Kreidestudien zu Einzelfiguren erhalten. Der von Walter Vitzthum zusammengestellten Gruppe von neun Figurenstudien in Berlin und Florenz[6] konnte Paul Hamilton ein weiteres Blatt hinzufügen, das sich ebenfalls in den Uffizien befindet.[7]

Eine Zeichnung im Ashmolean Museum, Oxford, die mit dem ausgestellten Blatt nahezu identisch ist, galt bis vor kurzem ebenfalls als Entwurfsstudie zum Fresko.[8] Voneinander unabhängig stellten Hugh Macandrew und Paul Hamilton jedoch zu Recht fest, daß es sich hierbei um eine Kopie nach unserer Zeichnung handelt.[9]

Walter Vitzthum wies darauf hin, daß von Santi Pacini 1772 ein Nachstich der Komposition, wie sie das ausgestellte und das Oxforder Blatt zeigen, angefertigt worden ist.[10] Aus der Aufschrift des Stiches geht hervor, daß sich das Blatt, welches als Vorlage diente, zu diesem Zeitpunkt im Besitz des Diakons G. Riccardi in Florenz befand.[11] Der Stich muß aus diesem Grunde nach der Oxforder Zeichnung gefertigt worden sein, da sich unser Kompositionsentwurf zu dieser Zeit bereits in der Sammlung Mariette befand.[12]

Der Dargestellte Buonagiunta Manetti, aus einer Florentiner Adelsfamilie stammend, gehörte im Jahre 1233 zu den sieben Gründungsmitgliedern des Servitenordens, dessen Ordensgeneral er von 1265 bis zu seinem Tode 1267 war.[13]

[1] Dessen Beschriftungen auf der Montierung recto: «WE» [ligiert] unten rechts, «190_2_1803x» unten links; verso: «WE [ligiert] 1803 P. bN 194 Formerly in the coll. of Mariette».
[2] Dessen Beschriftung auf der Montierung recto: «The Death of St. Francis»; zur Handschrift Thomas Thanes vgl.: Kat. Auktion Christie's, London, 29.6.1971, Nr. 109 (mit Abb.).
[3] Fälschlicherweise wurde zweimal das Blatt des Ashmolean Museum, Oxford, abgebildet.
[4] Vgl.: Tonini 1876, S. 232.
[5] New York, Metropolitan Museum of Art, Inv. Nr. 80.3.320. Erstpublikation durch Christel Thiem; vgl.: Thiem 1977a, S. 269 f., Nr. 11.
[6] Vitzthum 1955, S. 70–71.
[7] Florenz, Gabinetto Disegni e Stampe degli Uffizi, Inv. Nr. 1640S; vgl.: Florenz 1980, Nr. 79, Abb. 95.
[8] Vgl.: Parker 1956, Nr. 471, Taf. CX.
[9] Macandrew 1980, Appendix 2, S. 272, unter Nr. 471, sowie: Florenz 1980, S. 91, unter Nr. 77. Schon Jacob Bean hatte unsere Zeichnung als «...superior in quality to the almost exactly similar design... at the Ashmolean» bezeichnet; vgl.: Bean 1972a, S. 164.
[10] Vitzthum 1955, S. 69.
[11] Die Aufschrift lautet: «disegno della collez. e dell'Ill.o e Rev.o Sig. e Can.o Suddecano Gabbriello Riccardi».
[12] Paul Hamilton, der das Datum des Stiches fälschlicherweise mit 1708 angab, ging davon aus, daß Santi Pacini nach unserer Zeichnung arbeitete und das Oxforder Blatt möglicherweise von Santi Pacini selbst sei; vgl.: P. Hamilton, in: Florenz 1980, S. 91, unter Nr. 77.
[13] Vgl.: *Biblioteca Sanctorum*, Rom 1968, Bd. XI, Sette Fondatori, Spalte 926.

Schüler von Gregorio Pagani; vollendete nach dessen Tod (1605) eine Reihe unfertig gebliebener Werke seines Lehrers. Für kirchliche und private Auftraggeber aus Florenz und der Toskana schuf er zahlreiche Fresken und Gemälde. Filippo Baldinucci, der selbst bei Rosselli das Zeichnen erlernte, verfaßte über ihn eine ausführliche Biographie.

Studie eines sitzenden, nach hinten gelehnten jungen Mannes

Rötel.
39,0 × 26,2 cm. Unregelmäßig beschnitten. Aufgezogen.
Beschriftung verso in Feder (durchscheinend): «M. Rosseli»
R 918

Provenienz:
Privatsammlung, Paris; Thomas le Claire, Hamburg.[1]

Diese Studie, die nach dem lebenden Modell entstanden sein dürfte, diente zur Vorbereitung der Figur des Medoro in dem circa 1624 entstandenen Gemälde «Angelica und Medoro», das in den Depositi delle Gallerie Fiorentine in Florenz aufbewahrt wird (siehe Vergleichsabbildung).[2] Zwei weitere Versionen des Gemäldes, bei denen es sich möglicherweise um Werkstattrepliken handelt, befinden sich in einer Florentiner Privatsammlung[3] und im Kunsthandel.[4]

Unserem Blatt stilistisch besonders gut vergleichbar ist die Rötelstudie zu einer Pietà im Louvre für das 1627 entstandene Altargemälde in der Kirche San Vincenzo in Modena.[5]

Eine Kopie nach der ausgestellten Zeichnung befindet sich im Gabinetto Nazionale delle Stampe in Rom.[6]

[1] Verkaufskatalog Thomas le Claire, *Handzeichnungen alter Meister 1500–1800*, Katalog III, Hamburg 1985, Nr. 14 (mit Abb.).
[2] Vgl.: Cantelli 1983, S. 131; (Photo Kunsthistorisches Institut, Florenz).
[3] Vgl.: Cantelli 1983, S. 131, Abb. 667.
[4] Vgl.: Kat. Auktion Sotheby's, London, 23.7.1975, Nr. 91 (mit Abb.); vgl. auch: Cantelli 1983, S. 133.
[5] Paris, Louvre, Cabinet des Dessins, Inv. Nr. 1550; vgl.: Faini Guazzelli 1969, S. 27, Abb. 25 und 26.
[6] Rom, Gabinetto Nazionale delle Stampe, Inv. Nr. F.C.128827; vgl.: Rom 1977, S. 58 f., Nr. 93 (mit Abb.).

Matteo Rosselli, *Angelica und Medoro*, Depositi delle Gallerie Fiorentine, Florenz

23 Stefano della Bella

1610 Florenz – 1664 Florenz

Sohn des Bildhauers Francesco della Bella. Erste Ausbildung als Goldschmied bei Orazio Vanni. Durch Remigio Cantagallina und vor allem durch das graphische Werk Jacques Callots beeinflußt. Ging 1633, von Lorenzo de' Medici gefördert, für vier Jahre nach Rom; ab 1637 wieder in Florenz tätig. 1639–49 Aufenthalt in Paris; während dieser Zeit Reise in die Niederlande (1647). Ab 1650 arbeitete er – abgesehen von einem Rom-Aufenthalt – bis zu seinem Tode in Florenz und wurde dort Zeichenlehrer des jungen Herzogs Cosimo. Von Stefano della Bella hat sich ein großes zeichnerisches und druckgraphisches Werk erhalten.

Der Sturz des Phaeton

Feder in Braun, braun laviert, über schwarzem Stift.
40,8 × 27,8 cm. Aufgezogen.
Beschriftung unten rechts in Feder: «Steffanino della Bella»;
Beschriftung verso auf der Montierung in Feder: «Stefano Della Bella/born at Florence in 1610 Died at Ditte in 1662/aged 54»
R 932

Provenienz:
Sir Bruce Ingram (Lugt 1405a); Carl Winter; Mrs. Don Forrest; Auktion Sotheby's, London, 5.12.1977, Nr. 10, Abb. S. 44; Hazlitt, Gooden & Fox, London.[1]

Literatur:
Cambridge 1959, Nr. 3;
Edinburgh 1972, S. 41, Nr. 107, Abb. S. 109;
Holloway 1972, S. 730 f., Abb. 110.

Die Zeichnung, die ein für den Künstler ungewöhnlich großes Format aufweist, wurde bislang als mögliche prima idea für Stefano della Bellas Radierung desselben Themas betrachtet, die als Karte Nr. 4 in dem Spiel «Jeu de Fables» diente.[2] Dieses zur belehrenden Unterhaltung geschaffene Kompendium, das aus 52 Karten mit Radierungen della Bellas und jeweils einem kurzen, erklärenden Text bestand, wurde 1644 von Henri Le Gras herausgegeben.[3]

Es stellt sich jedoch die Frage, ob zwischen unserem Blatt und dieser Radierungsfolge überhaupt ein Zusammenhang besteht, da Zeichnung und Graphik erhebliche Unterschiede zueinander aufweisen. Zudem erscheint es äußerst unwahrscheinlich, daß ein so großzügig angelegtes, großformatiges Blatt als vorbereitende Studie für eine der kleinen Radierungen dieser Serie gedient haben soll, zumal die uns erhaltenen Vorzeichnungen zur Radierungsfolge in der Größe ziemlich genau den ausgeführten Graphiken entsprechen.[4] Darüberhinaus scheint unser Blatt auch stilistisch eher Mitte der 1650er-Jahre, nach della Bellas Rückkehr aus Paris, entstanden zu sein.[5]

[1] Verkaufskatalog Hazlitt, Gooden & Fox, *Italian Drawings,* London/New York 1991/92, Nr. 16 (mit Abb.).
[2] Vgl.: Edinburgh 1972, S. 41, unter Nr. 107. Zur Radierung vgl.: De Vesme/Dearborn Massar 1971, Tafelband S. 109, Nr. 499.
[3] Das Kartenspiel ist auch unter dem Namen «Jeu de la Mythologie» bekannt; vgl.: De Vesme/Dearborn Massar 1971, Textband S. 105–107, Nr. 489–541.
[4] Vgl.: Kat. Auktion Christie's, London, 23.11.1971, Nr. 124 (mit Abb.).
[5] Vgl. beispielsweise den circa 1658 entstandenen Entwurf eines Theaterkostüms in den Uffizien, Florenz (Inv. Nr. 8066 F); vgl.: Florenz 1986/87, S. 286, Nr. 2.250 (mit Abb.), sowie zwei Blätter mit Studien für Kutschenverzierungen im Louvre (Inv. Nr. 419(1–2) und Inv. Nr. 420); vgl.: Paris 1981/82, S. 162–165, Nr. 97 und 98 (mit Abb.).

Steffanino della Bella

24 Baldassare Franceschini,
genannt il Volterrano

1611 Volterra – 1689 Florenz

Schüler seines Vaters, des Bildhauers Gaspare Franceschini. Von 1628 bis 1630 Ausbildung bei Matteo Rosselli in Florenz. 1635 als Gehilfe Giovanni da San Giovannis bei der Ausmalung der Sala degli Argenti im Palazzo Pitti tätig. 1636–48 Dekoration des Loggien-Hofes der Villa Petraia im Auftrag von Lorenzo de' Medici. Ein fruchtbarer Freskant, von dem eine große Anzahl Zeichnungen erhalten ist.

Flucht nach Ägypten

Schwarzer Stift und Rötel. Atelierflecken.
42,4 × 28,5 cm. Aufgezogen.
R 848

Provenienz:
Auktion Sotheby's, London, 3.7.1980, Nr. 37, Abb. S. 77.

Literatur:
Maria Cecilia Fabbri, in: Florenz 1986/87, S. 340, unter Nr. 2.309.

Zwischen 1664 und 1669 arbeitete Volterrano im Auftrag Mattias de' Medicis und von dessen Bruder, Kardinal Leopoldo de' Medici, an der Gestaltung der Decke im Langhaus der SS. Annunziata in Florenz.

Anfangs an eine Dreiteilung des Projektes denkend, vergab Volterrano den Auftrag für ein Gemälde mit der «Darbringung Christi im Tempel» (Purifikation Mariens) an Livio Mehus, das einer «Himmelfahrt Mariens» an Ciro Ferri. Als drittes Thema der Deckenausstattung war eine «Flucht nach Ägypten» vorgesehen, die Volterrano selbst zu übernehmen gedachte.[1] Dieser Plan wurde jedoch 1667 aufgegeben und man entschied sich stattdessen nur für ein einziges Gemälde mit der «Himmelfahrt Mariens», das Volterrano alleine ausführte.[2]

Wie schon von Charles McCorquodale vermutet,[3] handelt es sich beim ausgestellten Blatt um einen frühen Entwurf zur ursprünglich von Volterrano geplanten Darstellung der «Flucht nach Ägypten». Zwei weiter ausgeführte Studien zur Gesamtkomposition befinden sich in den Uffizien[4] und in der Albertina,[5] ein bozzetto ist im Besitz von Mina Gregori, Florenz.[6]

Einzelstudien zu diesem später verworfenen Projekt befinden sich in der Albertina[7] und in den Uffizien.[8] Dieser Gruppe konnte der Autor eine weitere Studie für die Architektur im Hintergrund hinzufügen, die ehemals in der Kunsthalle Bremen aufbewahrt wurde.[9]

---

[1] Vgl.: Baldinucci 1847, Bd. V, S. 176.

[2] Die Gründe für die radikale Änderung des ursprünglichen Planes im Jahre 1667 lagen anscheinend sowohl an den Verzögerungen bei den Arbeiten an der Holzdecke, an finanziellen Schwierigkeiten, als auch vor allem am Tode Mattias de' Medicis im selben Jahr; vgl.: M. C. Fabbri, in: Florenz 1986/87, S. 340, unter Nr. 2.309.

[3] McCorquodale 1980, S. 30, unter Nr. 37.

[4] Florenz, Gabinetto Disegni e Stampe degli Uffizi, Inv. Nr. 3188 S; vgl.: Florenz 1986/87, S. 340, Nr. 2.309 (mit Abb.).

[5] Wien, Albertina, Inv. Nr. 674; vgl.: Gregori 1984, S. 522, Anm. 10.

[6] Vgl.: Gregori 1984, S. 522, Anm. 10, Tafel CLXVIII, Abb. 3.

[7] Wien, Albertina, Inv. Nrn. 23929, 23900, 23907; vgl.: Stix/Fröhlich-Bum 1932, Nrn. 674, 680 und 699. Die Verbindung der beiden letztgenannten Zeichnungen sowie des Blattes in den Uffizien (Inv. Nr. 3405 S) mit diesem verworfenen Projekt Volterranos ist Maria C. Fabbri zu verdanken; vgl.: M. C. Fabbri, in: Florenz 1986/87, S. 340, unter Nr. 2.309.

[8] Florenz, Gabinetto Disegni e Stampe degli Uffizi, Inv. Nr. 3405 S; vgl.: Florenz 1986/87, S. 340, unter Nr. 2.309.

[9] Ehemals Bremen, Kunsthalle, Inv. Nr. 39/316; vgl.: Sankt Petersburg 1992, S. 260, Nr. 102 (mit Abb.).

Marienstudie für eine Assunta

Rötel.
19,4 × 15,4 cm
R 308

Provenienz:
Hans Calmann, London; Herbert List, München
(Stempel nicht bei Lugt).

Literatur:
Matthias Winner, in: München u. a. 1977/78, Nr. 53;
Cantelli 1978, S. 39, unter Nr. 50;
Luzern 1979, S. 74, Nr. 131;
Maria Cecilia Fabbri, in: Florenz 1986/87, S. 343,
unter Nr. 2.311, S. 346, unter Nr. 2.314;
Dieselbe, in: Frankfurt a. M. 1988, S. 264, unter
Nr. 143;
Goldner/Hendrix 1992, S. 128, unter Nr. 50;
Bremen 1994, S. 120, unter Nr. 55.

Bei dem ausgestellten Blatt handelt es sich um eine Studie zur Marienfigur im Deckengemälde «Himmelfahrt Mariens» in der SS. Annunziata in Florenz.
Nachdem der ursprüngliche Plan einer Dreiteilung des Auftrags zur Ausgestaltung der Langhausdecke in der SS. Annunziata aufgegeben worden war (vgl. Kat. Nr. 24), machte sich Volterrano 1667 an die Vorbereitungsarbeiten für das Gemälde der «Assunta», das am 22. Dezember 1670 in der Mitte der Langhausdecke eingelassen wurde.[1]
Neben einem modello in Öl, ehemals in der Galleria Corsini, Florenz, das sich heute in der Sammlung Evelina Borea in Rom befindet,[2] hat sich auch ein Entwurf zur Gesamtkomposition, heute im Getty Museum, Malibu, erhalten.[3] Eine weitere vorbereitende Zeichnung für den unteren Teil der Komposition findet sich in den Uffizien.[4] Die Fondazione Roberto Longhi[5] und die Biblioteca Marucelliana,[6] beide Florenz, bewahren Studien zum knienden Apostel links unten im Bild; zwei weitere Entwurfzeichnungen zu dieser Figur sowie eine zum Apostel am linken Bildrand befanden sich im Kunsthandel.[7]

[1] Vgl.: Casalini 1978, S. 285, Anm. 34.
[2] Vgl.: S. Prosperi Valenti Rodinò, in: Torgiano 1988, S. 44, Nr. 16 (mit Abb.).
[3] Malibu, J. Paul Getty Museum, Inv. Nr. 88.GG.110; vgl.: Goldner/ Hendrix 1992, S. 128, Nr. 50. Ein Kompositionsentwurf zu einer «Himmelfahrt Mariens» in der Albertina, Wien (Inv. Nr. 22896), der bislang ebenfalls als Vorstudie für das Deckengemälde der SS. Annunziata galt, wurde kürzlich zu Recht mit einem Altarbild dieses Themas im Kloster von Vallombrosa in Verbindung gebracht, bei dem die Figur Mariens in vergleichbarer Haltung erscheint; vgl.: S. Brink, in: Bremen 1994, S. 120, unter Nr. 55. Eine Studie zu einer aufsteigenden Madonna in der Albertina, Wien (Inv. Nr. 23895a) läßt sich aufgrund der Ähnlichkeit der Marienfigur in beiden Gemälden nicht eindeutig dem einen oder anderen Bildauftrag zuordnen; vgl. zu den beiden Blättern: Stix/Fröhlich-Bum 1932, Nr. 648 und 647 (mit Abb.).
[4] Florenz, Gabinetto Disegni e Stampe degli Uffizi, Inv. Nr. 20917F, recto und verso (auf dem verso Studien zu dem knienden Apostel links im Gemälde).
[5] Florenz, Fondazione Roberto Longhi, Inv. Nr. 30/D; vgl.: Florenz 1986/87, S. 343, Nr. 2.311 (mit Abb.).
[6] Florenz, Biblioteca Marucelliana, Vol. A, n. 10; vgl.: Cantelli 1978, S. 39, Nr. 50, Abb. S. 38.
[7] Vgl.: McCorquodale 1980, S. 31, Nr. 38a; sowie: Kat. Auktion Sotheby's, London, 4.7.1994, Nr. 57 und 58 (mit Abb.).

26 Giovanni Francesco Barbieri, genannt **il Guercino**

1591 Cento – 1666 Bologna

Erste künstlerische Ausbildung bei Benedetto Gennari. Studium der Werke Lodovico Carraccis und anderer führender Meister der Emilia. 1618 in Venedig, 1621–23 in Rom, wo er für Papst Gregor XV. tätig war. Nach dem Tod seines Rivalen Guido Reni 1642 Übersiedelung nach Bologna. Guercinos umfangreiches Werk enthält zahlreiche Zeichnungen, die schon früh gesammelt und graphisch reproduziert wurden.

Venus, Mars und Amor

Feder in Braun über Spuren von schwarzem Stift.
22,0 × 30,5 cm. Alle vier Ecken ergänzt.
R 822

Provenienz:
Sammlung Chute at The Vyne, Basingstoke; P. & D. Colnaghi & Co. Ltd., London;[1] Dr. Walter Feilchenfeldt, Zürich.

Literatur:
Dieter Graf, in: München u. a. 1977/78, Nr. 71;
Luzern 1979, S. 34, Nr. 49, Abb. S. 33;
Mahon/Turner 1989, S. 46, unter Nr. 77;
London 1991, S. 248, unter Appendix Nr. 21;
Benati 1991, S. 151 und 154, Nr. 37.2 (mit Abb.).

Bei dieser Zeichnung handelt es sich um einen Entwurf zu dem 1633–34 entstandenen Gemälde «Venus, Mars und Amor», das sich heute in der Galleria Estense in Modena befindet.[2]

Das British Museum in London bewahrt eine zweite Kompositionsstudie zu diesem Bild;[3] eine weitere befand sich ehemals in der Sammlung Thomas Jenkins und ist uns heute nur noch durch einen Nachstich von Giovanni Ottaviani überliefert, der 1764 von Giambattista Piranesi publiziert wurde.[4] Eine vierte Studie zur Komposition ist uns in einer Werkstattkopie in Rötel erhalten, die wohl nach einer verlorenen Zeichnung Guercinos entstanden sein dürfte. Letzteres Blatt, das sich ehemals im Londoner Kunsthandel befand,[5] steht, was die Anordnung der Figuren zueinander betrifft, dem Gemälde am nächsten, obwohl die Einzelhaltungen noch stark von der endgültigen Ausführung abweichen.

Die Studien im British Museum und der Sammlung Jenkins scheinen ein früheres Stadium in der Entwicklung der Komposition wiederzugeben: Venus sitzt in der Mitte mit Amor links hinter ihr. In unserer Zeichnung hingegen ist Amor schon zwischen Mars und Venus postiert, wie es später auch in der Bildfassung zu sehen ist. Allerdings sind Mars und Venus – im Vergleich zur Komposition des Gemäldes – noch in vertauschter Position gezeigt. Demzufolge ist unsere Zeichnung wohl nach den beiden Blättern des British Museum und der Sammlung Jenkins, aber vor jener Kompositionsstudie entstanden, auf die die Werkstattkopie zurückgeht.

Neben diesen Kompositionsentwürfen haben sich auch Blätter erhalten, die Einzelfiguren des Gemäldes vorbereiten: eine Rötelstudie im Palazzo Rosso in Genua[6] sowie eine Federzeichnung in Windsor[7] zur Figur des Mars und eine Studie in der Accademia Carrara in Bergamo[8] zum Amor, der – wie im Gemälde – mit Pfeil und Bogen auf den Betrachter zielt.

[1] Verkaufskatalog P. & D. Colnaghi & Co. Ltd., *Exhibition of Old Master Drawings*, London 1950, Nr. 7.
[2] Das Gemälde wurde vermutlich für Herzog Francesco I. d'Este ausgeführt, da Guercino am 18. Januar 1634 die Bezahlung für das Werk aus der Hand von Cesare Cavazzi, dem «guardarobiere» des Herzogs, erhielt; vgl.: Calci 1808, S. 70.
[3] London, British Museum, Department of Prints and Drawings, Inv. Nr. 1910–2–12–4; vgl.: London 1991, S. 247 f., Appendix Nr. 21 (mit Abb.).
[4] Vgl.: Piranesi 1764.
[5] Vgl.: Kat. Auktion Christie's, London, 30.3.1971, Nr. 133 (mit Abb.).
[6] Genua, Palazzo Rosso, Inv. Nr. 1705.
[7] Windsor Castle, Royal Library, Inv. Nr. 2428; vgl.: Mahon/Turner 1989, S. 46, Nr. 77, Tafel 81.
[8] Bergamo, Accademia Carrara, Inv. Nr. 6; vgl.: Ragghianti 1963, S. 42, Nr. 347, Tafel CXXXIX.

27 Giovanni Francesco Barbieri, genannt il Guercino

Erminia

Rötel.
20,8 × 15,3 cm. Ecken abgeschrägt. Aufgezogen.
R 735

Provenienz:
John Clerk, Lord Eldin; Auktion seiner Sammlung,
Winstanley & Sons, Edinburgh, 14.–29.3.1833,
unter Nr. 594(?); Sir Archibald Campbell, Bt.;
Sir George Campbell, Bt.; Sir Ilay Campbell, Bt.;
Auktion Christie's, London, 26.3.1974, Nr. 70,
Tafel 31; Herbert List, München (ohne Stempel).

Literatur:
Glasgow 1953, Nr. 13;
Dieter Graf, in: München u. a. 1977/78, Nr. 72;
Luzern 1979, S. 34, Nr. 50;
Cambridge (Mass.) u. a. 1991, S. 215 f., unter
Supplement Nr. 35.

Der Stil unseres Blattes ist charakteristisch für Guercinos zeichnerische Schaffensphase gegen Ende der 1640er-Jahre.[1] In diese Zeit darf wohl auch eine weitere Studie einer behelmten Erminia in der Albertina datiert werden, die in schwarzer Fettkreide ausgeführt ist.[2]

Beide Blätter könnten in Zusammenhang mit der Vorbereitung der Darstellung von «Erminia und der Hirte» entstanden sein, ein Projekt, an dem Guercino 1648–49 arbeitete. Offensichtlich hat Guercino das Thema in zwei – wohl identischen – Gemäldefassungen behandelt, von denen sich jedoch nur eine im Minneapolis Institute of Arts erhalten hat.[3]

Die Figur der Erminia im Gemälde weist allerdings erhebliche Unterschiede gegenüber den beiden Zeichnungen auf. So nähert sich Erminia im Bild von links dem Hirten und seinen Kindern und entledigt sich mit erhobenen Händen des Helmes, während beide Zeichnungen sie von rechts kommend und mit gesenkten Armen zeigen.

Das Thema «Erminia und der Hirte» ist dem 7. Gesang von Tassos «Gerusalemme Liberata» entnommen.

---

[1] Stilistisch besonders gut vergleichbar sind eine Studie zum 1647 ausgeführten Gemälde «Ecce Homo» (Bayerische Staatsgemäldesammlungen, Schloß Schleißheim), die sich in einer Londoner Privatsammlung befindet, sowie die Studie eines fliegenden Engels in der Sammlung Sir Denis Mahon für die circa 1648 entstandene «Verkündigung» in der Pinacoteca Comunale, Forlì; vgl. hierzu: London 1991, S. 179–181, Nr. 151–152, Abb. S. 180–181.
[2] Wien, Albertina, Inv. Nr. 2414; vgl.: Stix/Spitzmüller 1941, Nr. 232, Tafel 53.
[3] Vgl.: Stone 1991, S. 249, Nr. 239 (mit Abb.).

28 **Pietro Berrettini,**
genannt **Pietro da Cortona**

1596 Cortona – 1669 Rom

Maler und Architekt.
Folgte seinem Lehrer Andrea Commodi
1612 nach Rom; 1614 Lehre bei Baccio
Ciarpi. Sein erster Förderer war
Marchese Marcello Sacchetti, der ihn mit
dem Dichter Giambattista Marino
bekannt machte. Über diese Verbindung
kam er in den Kreis Papst Urbans VIII.,
unter dessen Pontifikat er zu einem der
führenden Maler und Architekten des
römischen Hochbarock wurde. Arbeitete
in Rom und Florenz. Unter seinen
zahlreichen Werken sind besonders die
Deckenfresken im Palazzo Barberini,
Rom (1633–39), die Dekoration im
Palazzo Pitti, Florenz (1637, 1640–42,
1644–48) und die Ausmalung der
Chiesa Nuova (S. Maria in Vallicella),
Rom (1648–65), hervorzuheben.

Der Bethlehemitische Kindermord

Feder in Braun, braun und blaugrün laviert, weiß
gehöht über schwarzem Stift.
26,1 × 36,5 cm. Linke obere Ecke angesetzt; Ergänzungen am linken, oberen und unteren Rand.
R 860

Provenienz:
Auktion Helmut Tenner, Heidelberg,
9./10.10.1958, Nr. 2940 (als Giovanni Francesco
Romanelli).

Literatur:
Merz 1985, Teil III, S. 293–295;
Merz 1991, S. 215–218, Abb. 334.

Diese Kompositionsstudie Pietro da Cortonas, die bereits Nicholas Turner als «…a particularly fine example of his early style…» bezeichnete,[1] darf wohl in den Anfang der 1630er-Jahre datiert werden. Stilistisch besonders gut vergleichbar ist Cortonas Entwurf zur «Götterversammlung» in der Stiftung de Boer, Amsterdam,[2] der als Vorlage für eine von Johann Friedrich Greuter 1631 gestochene Buchillustration diente.[3]

Bisher ist kein Gemälde Pietro da Cortonas mit der Darstellung des Bethlehemitischen Kindermordes bekannt geworden;[4] unser Entwurf hängt jedoch offensichtlich mit einem Bild desselben Themas von der Hand Giovanni Francesco Romanellis zusammen, das sich ehemals im Kunsthandel befand.[5] Es ist anzunehmen, daß Romanelli, Schüler und damals engster Mitarbeiter Cortonas, das Gemälde nach dem Entwurf seines Lehrers ausführte, um diesen wohl, wie schon Jörg Merz vermutete,[6] wegen der dringlichen Arbeiten an der Freskierung des Palazzo Barberini in Rom zu entlasten.

Jörg Merz wies zudem darauf hin, daß Pietro da Cortona bei der Ausarbeitung unserer Zeichnung von Giambattista Marinos Gedicht «La Strage degli Innocenti» inspiriert gewesen zu sein scheint, wie zahlreiche motivische Übereinstimmungen mit dem Gedichttext belegen.[7]

[1] Brief vom 29.7.1982.
[2] Vgl.: Merz 1991, S. 223, Anm. 157, Abb. 313.
[3] Giovanni Battista Ferrari, *De florum cultura libri IV,* Rom 1633; vgl.: Merz 1991, S. 222 f., Anm. 153, Abb. 308.
[4] Vgl.: Merz 1991, S. 215–216, Anm. 122.
[5] Das Gemälde wurde zuletzt bei Christie's, London, am 9.7.1993 als Nr. 77 (mit Abb.) versteigert.
[6] Merz 1985, Teil III, S. 294.
[7] Merz 1991, S. 216–218.

29 Guglielmo Cortese (Guillaume Courtois), genannt il Borgognone

1628 St. Hippolyte – 1679 Rom

Kam um 1640 mit seinen älteren Brüdern Giacomo und Gian Francesco nach Rom. Erste Ausbildung bei Pietro da Cortona, später Mitarbeiter von Gian Lorenzo Bernini. Erhielt zahlreiche kirchliche und private Aufträge in Rom und Umgebung.

Kompositionsentwurf zu einer Trinità

Recto: Rötel und schwarzer Stift, braun und rötlich (mit zerriebenem Rötel) laviert, weiß gehöht, auf beigem Papier.
Verso: Rötelskizze.
40,2 × 29,0 cm
Beschriftung verso in Feder: «A: Carats. of Caracci/ nacquit in Bologna 1560.
ob: 1609/Malvasia p:3 fol: 357. Bellorio. 8:°19.»
R 921

Provenienz:
Jacques Petithory, Paris (Stempel nicht bei Lugt); Privatsammlung, Zürich.

Das ausgestellte Blatt, das vom Vorbesitzer mit Giuseppe Passeri in Verbindung gebracht worden war,[1] wurde vom Autor als ein Werk Guglielmo Corteses erkannt.

Es handelt sich hierbei um einen frühen Kompositionsentwurf für den oberen Teil des um 1660–65 ausgeführten Altarfreskos «Die Vision des hl. Hilarius», das sich in der 5. linken Kapelle der Kirche San Giovanni in Laterano in Rom befindet.[2] Unser Blatt weist noch erhebliche Unterschiede zur endgültigen, im Fresko gefundenen Lösung auf: Gottvater und Christus sind auf der Zeichnung im Vergleich zum Fresko seitenverkehrt dargestellt; ihre jeweilige Haltung wurde leicht abgeändert, auch die Anordnung der Putten weicht von der endgültigen Ausführung ab.

Unserem Blatt sind zwei Rötelskizzen im Gabinetto Nazionale delle Stampe in Rom vorausgegangen, welche die Komposition der Trinità, wie sie die ausgestellte Zeichnung zeigt, vorbereiten (siehe Vergleichsabbildungen).[3] Ein bozzetto zum Altarfresko, das gegenüber dem ausgeführten Werk nur geringe Abweichungen zeigt, befindet sich in Düsseldorf.[4] Einzelstudien zu Gottvater, dem hl. Hilarius und zu Engeln werden im Gabinetto Nazionale delle Stampe in Rom[5] und in der Sammlung J. Q. van Regteren-Altena aufbewahrt.[6]

Mit dem ausgestellten Blatt technisch und stilistisch besonders gut vergleichbar sind ein Kompositionsentwurf in der Albertina[7] für den oberen Teil des Freskos mit der «Himmelfahrt Mariens», das Cortese zwischen 1664 und 1666 in der Apsis der Kirche S. Maria dell'Assunzione in Ariccia ausgeführt hat,[8] sowie ein Entwurf zum Gemälde «Martyrium des hl. Andreas» (1666–68) in der Kirche S. Andrea al Quirinale, Rom, der sich in der Sammlung des Earl of Leicester, Holkham Hall, befindet.[9]

[1] Diese Zuschreibung erfolgte aufgrund der technischen Ausführung der Zeichnung, die der von Passeri gerne verwendeten Technik von weiß gehöhter Federzeichnung über Rötel auf rötlich eingefärbtem Papier verwandt ist.
[2] Vgl.: Salvagnini 1937, Taf. LIV. Die Meinungen zur Datierung des Freskos gehen auseinander: Während Salvagnini eine Datierung um 1656 vorschlägt (vgl.: Salvagnini 1937, S. 149), plädieren Dieter Graf und Simonetta Prosperi Valenti Rodinò hingegen zu Recht für eine Entstehung des Freskos in den Jahren 1660–65 (vgl.: Graf 1976, Bd. 2/1, S. 176, sowie: S. Prosperi Valenti Rodinò, in: Rom 1979/80, S. 47).
[3] Rom, Gabinetto Nazionale delle Stampe, Inv. Nrn. F.C.127123 und F. C. 127122; vgl.: Rom 1979/80, S. 49, Nrn. 76 und 77, Abb. S. 153 und S. 155.
[4] Düsseldorf, Kunstmuseum, Inv. Nr. 2070; vgl.: Graf 1976, Bd. 2/1, S. 176, Nr. I, Bd. 2/2, Abb. S. 346.
[5] Vgl.: Rom 1979/80, S. 48–51, Nrn. 72–75 und Nrn. 78–86, Abb. S. 152, 154, 156–159.
[6] Vgl.: Amsterdam 1970, S. 36, Nr. 124, Abb. 86.
[7] Wien, Albertina, Inv. Nr. 14229; vgl.: Stix/Fröhlich-Bum 1932, Nr. 735 (als Lazzaro Baldi), Taf. 165.
[8] Vgl.: Graf 1973, S. 26, Abb. 23.
[9] Holkham Hall, Sammlung des Earl of Leicester, Inv. Nr. C.I.245/54/6; (Photo Witt Library, London).

Guglielmo Cortese, *Studie zu einer Trinità*, Gabinetto Nazionale delle Stampe, Rom (Inv. Nr. F.C. 127123)

Guglielmo Cortese, *Studie zu einer Trinità*, Gabinetto Nazionale delle Stampe, Rom (Inv. Nr. F.C. 127122)

30 Ciro Ferri

1634 Rom – 1689 Rom

Schüler und Mitarbeiter Pietro da Cortonas, dem er künstlerisch stets eng verbunden blieb. 1659 Berufung nach Florenz, wo er die von Cortona begonnenen Deckenfresken im Palazzo Pitti fertigstellte. Seit 1665 Fresko-Arbeiten in der Kirche S. Maria Maggiore in Bergamo. 1669 Rückkehr nach Rom. Seinen letzten wichtigen Auftrag, das Kuppelfresko von S. Agnese an der Piazza Navona, konnte Ferri nicht mehr selbst vollenden.

Halbfigur eines Satyrn

Schwarze und weiße Kreide auf graubraunem Papier.
32,0 × 24,5 cm. Aufgezogen.
Beschriftung unten links in Feder: «Ciro fer.»;
Beschriftung Johann Kaspar Lavaters auf der Unterlage: «Allso die Stirn und der Blick und die Nas' und die Lippe der Geilheit./3.2.1788/L.»; darunter der Vermerk in Bleistift: «Lavater scripsit»; ganz unten links die alte Sammlernummer: «N. 554»; auf der Rückseite: «Portefeuille N° 9 Dessein N° 40» und «Achille Ryhiner»
R 56

Provenienz:
Achille Ryhiner, Basel (Lugt 2164 und Lugt 3004 b) mit dessen Montierung und Beschriftung verso, (s. o.); Johann Kaspar Lavater (mit dessen Aufschrift, s. o.); Falkeisen & Huber, Basel (Lugt 1008 und Lugt Suppl. 1008); unidentifizierter Stempel «i» auf der Montierung unten links; Auktion Stephan List, Frankfurt a. M., Auktion 63, 10.4.1970, Nr. 86; Herbert List, München, mit dessen Stempel auf der Montierung (Stempel nicht bei Lugt).

Literatur:
Peter Dreyer, in: München u. a. 1977/78, Nr. 87;
Luzern 1979, S. 90, Nr. 156, Abb. S. 93;
Turner 1980, S. 66, unter Nr. 24;
Davis 1986, S. 231.

Die chronologische Einordnung der Zeichnungen Ciro Ferris gestaltet sich schwierig, da nur wenige Blätter mit datierbaren Gemälden in Verbindung gebracht werden können. Zudem zieht sich der Einfluß Pietro da Cortonas mehr oder weniger gleichbleibend durch Ferris gesamtes Œuvre, so daß größere stilistische Veränderungen innerhalb seines zeichnerischen Werkes kaum auszumachen sind.

Unserem Blatt stilistisch verwandt ist eine Zeichnung im British Museum, die einen auf dem Boden sitzenden männlichen Akt zeigt.[1] Studien zu Einzelfiguren finden sich in Ferris Œuvre insgesamt jedoch eher selten. Bruce Davis geht davon aus, daß sie vor allem in den 1670er-Jahren vorkommen,[2] einer Zeit, in die wohl auch das Londoner Blatt und unsere Zeichnung datiert werden dürfen.

Das ausgestellte Blatt stammt aus dem Besitz Johann Kaspar Lavaters (1741–1801), der eine große Anzahl von Zeichnungen besaß. Sein Interesse galt vor allem der physiognomischen Deutung der dargestellten Figuren, wie auch aus der eigenhändigen Beschriftung unseres Blattes (s. o.) zu ersehen ist.

[1] London, British Museum, Department of Prints and Drawings, Inv. Nr. 1946–7–13–81; vgl.: Turner 1980, S. 66, Nr. 24 (mit Abb.).
[2] Davis 1986, S. 109, 126 ff.

31 Pier Francesco Mola

1612 Coldrerio (Kanton Tessin)–1666 Rom

Sohn eines Architekten, der 1616 mit seiner Familie nach Rom übersiedelte. Längere Aufenthalte zur künstlerischen Ausbildung in Venedig und Bologna; vor allem von Francesco Albani und Guercino beeinflußt. Ab 1647 ständig in Rom. Mitbeteiligt an der Ausmalung des Quirinal-Palastes. Aufträge von den Familien Pamphili und Chigi. 1662 Präsident der Accademia di San Luca.

Der Engel erscheint Hagar und Ismael

Verso: Skizze zu demselben Thema
Recto: Feder und Pinsel in Braun über schwarzem Stift.
Verso: Rötel.
18,9 × 27,0 cm. Linke obere Ecke ergänzt.
Beschriftung unten rechts in brauner Feder:
«A: v: D»
R 826

Provenienz:
Jan Pietersz. Zoomer (Lugt 1511); Jonathan Richardson Sen. (Lugt 2184); Earl Spencer (Lugt 1531); Auktion Sotheby's, London, 23.3.1972, Nr. 100 (mit Abb.); Alfred Brod, London;[1] Armando Neerman, London.

Literatur:
Bean 1972[b], S. 386;
Henriette Pommier, in: Lyon 1984/85, S. 44, unter Nr. 26;
Nicholas Turner, in: Lugano/Rom 1989/90, S. 263, unter Nr. III.65.

Pier Francesco Mola hat das Thema «Der Engel erscheint Hagar und Ismael» in mehreren Gemälden mit unterschiedlicher Komposition ausgeführt.[2] Bei der ausgestellten Zeichnung handelt es sich um eine Vorstudie für das Bild in der Galleria Colonna in Rom,[3] das vermutlich von dem römischen Kunstmäzen Lorenzo Onofrio Colonna in Auftrag gegeben wurde und in die Zeit zwischen 1655 und 1659 zu datieren ist.[4]

Für dieses Gemälde haben sich neben unserem Blatt noch drei weitere Kompositionsstudien erhalten, die sich im Nationalmuseum Stockholm,[5] im Musée des Arts Décoratifs in Lyon[6] und in der Staatsgalerie Stuttgart[7] befinden.

In der Gemäldefassung ist im Unterschied zur ausgestellten Zeichnung der Engel nach rechts oben, der schlafende Ismael nach links unten gerückt. Die auf dem verso des Blattes befindliche Rötelskizze desselben Themas zeigt den Engel und Ismael in ähnlicher Position wie in der Studie recto, während Hagar in entgegengesetzter Richtung, also nach rechts gelagert ist.

[1] Verkaufskatalog Alfred Brod, London, Juli 1972, Nr. 9 (mit Abb.).
[2] Vgl.: Cocke 1972, Nrn. 28, 31A, 32, 42; Abb. 32, 33, 93.
[3] Vgl.: Cocke 1972, Nr. 42, Abb. 93.
[4] Vgl.: Cocke 1972, S. 32 und 55.
[5] Stockholm, Nationalmuseum, Inv. Nr. 569/1863; vgl.: Lugano/Rom 1989/90, S. 263, Nr. III.65 (mit Abb.).
[6] Lyon, Musée des Arts Décoratifs, Inv. Nr. 294/a; vgl.: Lyon 1984/85, S. 44, Nr. 26 (mit Abb.).
[7] Stuttgart, Staatsgalerie, Graphische Sammlung, Inv. Nr. C77/2678; vgl.: Thiem 1977[b], S. 223, Nr. 406 (mit Abb.).

*Maratta kam 1636 nach Rom, wo er
Schüler Andrea Sacchis wurde.
Beeinflussung durch die Kunst Raffaels
und der Carracci. Wichtigster Vertreter
der «klassizistischen» Malerei im
römischen Hochbarock.*

Studien zum hl. Jacobus Maior

Rötel und weiße Kreide auf blauem Papier.
42,0 × 25,4 cm
R 869

Provenienz:
Alessandro Maggiori (Lugt 3005b), mit dessen
Beschriftung recto: «Carlo Maratti fece» und verso:
«Aless. Maggiori/compró a Roma/nel 1804»;
Auktion Sotheby's, London, 15.6.1983, Nr. 53,
Abb. S. 51.

Es handelt sich bei dieser Zeichnung um ein Studienblatt für die Figur des
hl. Jacobus Maior in dem 1686–87 entstandenen Gemälde «Madonna und Kind
mit dem Apostel Jacobus Maior und dem hl. Franziskus», das sich in der Kirche
S. Maria di Montesanto in Rom befindet (siehe Vergleichsabbildung).

Mit Ausnahme der in der Zeichnung links oben dargestellten Hand mit Feder-
kiel wurden alle Studien unseres Blattes unverändert in die endgültige Bildfassung übernommen. Ein weiterer Entwurf zum Jacobus Maior, der wohl
früher entstand und dann verworfen wurde, befindet sich in Windsor Castle.[1]
Eine Studie zum hl. Franziskus wurde 1987 bei Christie's, New York, versteigert;[2] Francis Dowley bringt ein Blatt im Ashmolean Museum, Oxford, mit
der Figur der Maria in Verbindung.[3] Neben diesen Studien zu Einzelfiguren
haben sich auch einige Zeichnungen erhalten, die die Gesamtkomposition des
Gemäldes vorbereiten; sie befinden sich in Windsor Castle,[4] Düsseldorf[5] und
Madrid.[6] Eine weitere wurde in der Leverton-Harris-Auktion bei Sotheby's im
Jahre 1928 versteigert.[7]

[1] Windsor Castle, Royal Library, Inv. Nr. 4195; vgl.: Blunt/Cooke 1960, Nr. 285 (ohne Abb.).
[2] Vgl.: Kat. Auktion Christie's, New York, 13.1.1987, Nr. 51 (mit Abb.).
[3] Dowley 1957, S. 179, unter Fußnote 38, sowie: Parker 1956, S. 460 f., Nr. 903 (ohne Abb.).
[4] Windsor Castle, Royal Library, Inv. Nrn. 4150, 4101; vgl.: Blunt/Cooke 1960, Nrn. 283 und 284,
   Abb. 54 und 55.
[5] Düsseldorf, Kunstmuseum, Inv. Nr. FP1182; vgl.: Schaar 1967, S. 129, Nr. 350, Tafel 87.
[6] Vgl.: Alcaide 1965, Nrn. 8–10 (Taf. 5 und 6).
[7] Vgl.: Kat. Auktion Sotheby's, London, 22.5.1928, Nr. 71 (ohne Abb.) als «Pier Francesco Mola»;
   (Photo Witt Library, London).

Carlo Maratta, *Madonna und Kind mit dem Apostel Jacobus
Maior und dem hl. Franziskus,* S. Maria di Montesanto, Rom

Carlo Maratti
fece

33 Benedetto Luti

1666 Florenz – 1724 Rom

*Lehrzeit bei Antonio Domenico
Gabbiani in Florenz, seit 1690
Fortsetzung der Ausbildung in Rom.
Beeinflussung durch Carlo Maratta und
Anregungen durch französische Künstler
der Académie de France in Rom.
Luti war über Italiens Grenzen hinaus
hoch angesehen; 1712 wurde er vom
Kurfürsten von Mainz mit der Ritter-
würde ausgezeichnet.*

Christus in Emmaus

Schwarzer Stift, Rötel, Feder und Pinsel in Braun,
weiß gehöht, auf bräunlichem Papier, durchgegriffelt.
45,4 × 32,2 cm
R 601

Provenienz:
Nicht sicher identifizierte Sammlung (Lugt 416a);
Herbert List, München (ohne Stempel).

Literatur:
Peter Dreyer, in: München u. a. 1977/78, Nr. 92;
Luzern 1979, S. 94, Nr. 162;
Edgar Peters Bowron, in: Philadelphia 1980/81,
S. 20, unter Anm. 4;
Hein-Th. Schulze Altcappenberg, in: Düsseldorf
1990, S. 82, unter Nr. 27.

Eckhard Schaar[1] erkannte als erster den Zusammenhang dieser Zeichnung mit Lutis Gemälde gleichen Themas in der Galleria di San Luca in Rom.[2] Noch größere Ähnlichkeit mit unserem Blatt weist ein weiteres von Luti stammendes Ölbild dieses Themas auf, das sich ehemals in der Sammlung Paul Ganz, New York, befand.[3]

Beide Bilder entsprechen im Format annähernd unserer Zeichnung, sind aber, was die Figuren, den Vorder- und besonders den Hintergrund betrifft, wesentlich weniger aufwendig als die Zeichnung ausgeführt. Hein-Th. Schulze Altcappenberg vermutet deshalb wohl zu Recht, daß das vorliegende Blatt, wie auch zwei weitere Vorzeichnungen Lutis im Kunstmuseum Düsseldorf[4] und in den Uffizien,[5] nicht für die beiden kleinen Bilder gedacht, sondern Studien für eine größere und anspruchsvollere Gemäldefassung waren, die sich jedoch nicht erhalten hat.[6]

[1] Vgl.: München u. a. 1977/78, S. 198, unter Nr. 92.
[2] Vgl.: Voss 1924, S. 609, Abb. S. 363.
[3] Vgl.: Bowron 1979, Nr. 36, Abb. 52.
[4] Düsseldorf, Kunstmuseum, Inv. Nr. FP.3301; vgl: Düsseldorf 1990, S. 82, Nr. 27 (mit Abb.).
[5] Florenz, Gabinetto Disegni e Stampe degli Uffizi, Inv. Nr. 13900F; vgl: Dowley 1962, S. 224, Abb. 8.
[6] H.-Th. Schulze Altcappenberg, in: Düsseldorf 1990, S. 82, unter Nr. 27.

34 Gaspar van Wittel,
genannt **Gaspare Vanvitelli**

1653 Amersfoort (Niederlande) – 1736 Rom

*Ging 19jährig nach Italien, wo er seßhaft
wurde und 1709 das römische Bürger-
recht erhielt. Bildete sich als Maler von
Stadtansichten aus und wurde hierin
einer der besten Vertreter seines Faches
mit großem Einfluß auf die Entwicklung
der Vedutenmalerei im 18. Jahrhundert.
Zahlreiche Reisen zwischen Oberitalien
und Neapel. Vater des bekannten
Architekten Luigi Vanvitelli.*

Ruinen eines römischen Amphitheaters

Feder in Braun über schwarzem Stift, grau laviert.
41,7 × 54,1 cm
Beschriftung unten rechts: «Anfiteatro di
Pozzuoli»
R 598

Provenienz:
Bartolommeo Cavaceppi, Rom; Vincenzo Pacetti,
Rom, Nr. 102 (verso numeriert in Bleistift); Paul
Fatio, Genf (Stempel nicht bei Lugt); Auktion
Nicolas Rauch, Genf, 13.–15.6.1960, Nr. 385;
Richard Tüngel, Ahrensburg; Herbert List,
München (Stempel nicht bei Lugt).

Literatur:
Hamburg u. a. 1965/66, S. 15, Nr. 36, Abb. 26;
Briganti 1966, S. 273, Nr. 17d;
Ottawa 1977, S. 49, unter Nr. 66;
Dieter Graf, in: München u. a. 1977/78, Nr. 93;
Luzern 1979, S. 94, Nr. 160;
München 1983, Nr. 42, Abb. 9.

Der Beschriftung zufolge handelt es sich bei unserer Studie um eine Innen-
ansicht des römischen Amphitheaters in Pozzuoli. Vanvitelli hielt sich von 1699
bis 1702 in Neapel auf, um Aufträge für den dortigen Vizekönig auszuführen.
Während dieser Zeit könnte unsere Studie im nahen Pozzuoli entstanden sein.
Die großzügig und locker ausgeführte Zeichnung zeigt den Künstler in der
Tradition der niederländischen Italianisten Bartholomeus Breenbergh und
Cornelis van Poelenburgh, die über ein halbes Jahrhundert früher die südliche
Landschaft in ähnlicher Weise aufgefaßt hatten.

Beim heutigen Besuch der Ruinen des Amphitheaters von Pozzuoli ist es nicht
mehr möglich, die Position auszumachen, von der aus Vanvitelli gezeichnet
haben könnte. Die Arena ist stark zerfallen, der Mauerkranz oberhalb der Sitz-
reihen, wie er auf unserer Zeichnung erscheint, nur ansatzweise erhalten.
Ähnlichkeiten sind kaum festzustellen. Daher drängt sich die Frage auf, ob die
Beschriftung des Blattes nicht irreführend und in Wirklichkeit ein anderes Bau-
werk wiedergegeben ist: Es scheint sich hier vielmehr um die Darstellung einer
Partie aus dem Kolosseum in Rom zu handeln. Dort bietet sich noch heute ein
ähnlicher Ausblick über die Gewölbereste nach oben zum fensterdurchsetzten
Mauerkranz, der, ebenso wie auf der Zeichnung, im Verlauf nach links fast senk-
recht abbricht.[1]

---

[1] Eine vergleichbare Ansicht aus dem Kolosseum findet sich auf einer 1796 datierten Zeichnung Johann
Martin von Rohdens im Berliner Kupferstichkabinett (Inv. Nr. 23/7667); vgl.: Bernhard 1973, Abb.
S. 1419.

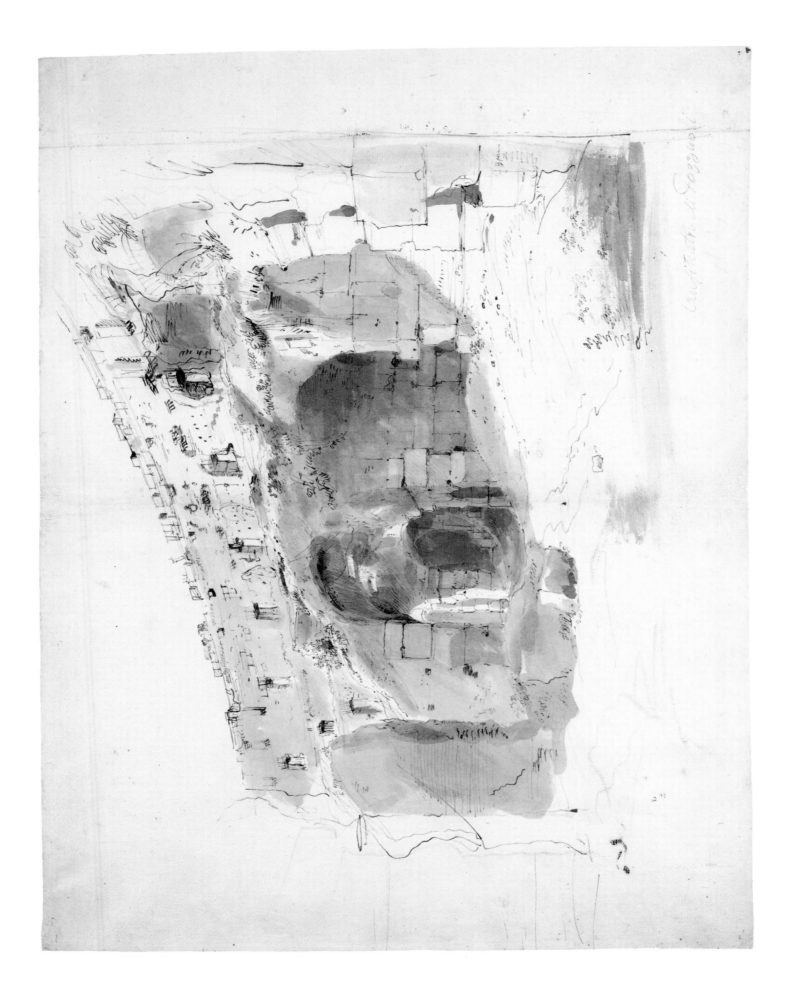

35 Luca Giordano

1634 Neapel – 1705 Neapel

Zunächst durch seinen Vater Antonio ausgebildet, wurde Giordano später vor allem von Giuseppe Ribera in Neapel und Pietro da Cortona in Rom beeinflußt. Entfaltete eine überaus reiche künstlerische Tätigkeit in Neapel, Rom, Florenz und Venedig. Von 1692 bis 1702 als Hofmaler Karls II. in Madrid tätig.

Transport der Bundeslade

Feder in Schwarzbraun, grau laviert, über schwarzem Stift.
40,8 × 32,1 cm. Linke untere Ecke angesetzt; Ergänzung am unteren Rand.
R 907

Provenienz:
Auf dem verso des Blattes eine nicht genauer zu bestimmende Beschriftung in brauner Feder, möglicherweise eine Sammlersignatur;[1] Privatsammlung Genf.

Die Zeichnung, die den von Reitern und Fußvolk begleiteten Transport der Bundeslade zeigt,[2] wurde vom Autor als ein Werk Luca Giordanos bestimmt. Einen stilistisch vergleichbaren, in schwarzer Kreide ausgeführten Kompositionsentwurf des Künstlers bewahrt der Louvre,[3] vier weitere, unserer Zeichnung auch technisch verwandte Blätter befanden sich in der Sammlung Clemens Lubojatzky[4] und im Kunsthandel.[5] In diesen Blättern wird der reife Zeichenstil Luca Giordanos, wie er seit etwa der zweiten Hälfte der 1670er-Jahre zu beobachten ist, sichtbar.[6] Eine genaue Datierung dieser Zeichnungen erweist sich jedoch bislang als schwierig, da uns nur sehr wenige mit Gemälden eindeutig in Verbindung stehende Blätter aus dieser Zeit erhalten sind. Dennoch scheint eine zeitliche Einordnung der genannten Kompositionsentwürfe wie auch unserer Zeichnung in die späteren 1680er-Jahre, also vor Giordanos Spanienaufenthalt (1692–1702), naheliegend.[7]

[1] Diese Beschriftung, die bislang noch nicht identifiziert werden konnte, findet sich auch auf einigen weiteren Zeichnungen Luca Giordanos, vgl. z. B. ein zweites Blatt in der Stiftung Ratjen, Vaduz, R 927, sowie ein ehemals im Kunsthandel befindlicher Kompositionsentwurf; vgl.: Kat. Auktion Sotheby's, New York, 14.1.1987, Nr. 62 (mit Abb.).

[2] Möglicherweise handelt es sich bei dem ausgestellten Blatt um den rechten Teil eines ursprünglich erheblich größeren, breitformatigen Kompositionsentwurfes, der den «Fall der Mauern von Jericho» dargestellt haben könnte.

[3] «Die Flucht nach Ägypten», Paris, Louvre, Cabinet des Dessins, Inv. Nr. 9625; vgl.: Ferrari/Scavizzi 1992, Bd. I, S. 370, Nr. D 92, Bd. II, Abb. 1013.

[4] «Die Himmelfahrt des Propheten Elias», vgl.: Benesch 1923, S. 9, Nr. 7 (mit Abb.).

[5] «Kreuzaufrichtung», vgl.: Kat. Auktion Sotheby's, London, 21.11.1974, Nr. 64 (Photo Witt Library, London); «Aaron und die Bestrafung der Rotte des Korah», vgl.: Kat. Auktion Sotheby's, New York, 14.1.1987, Nr. 62 (mit Abb.); «Entwurf zu einem Fries mit Nereiden und Meerespferden», vgl.: Kat. Auktion Sotheby's, London, 13.4.1992, Nr. 7 (mit Abb.).

[6] Vgl. hierzu: Vitzthum 1965, S. 65 f., sowie: Arbace 1989–90, S. 275 ff.

[7] Oreste Ferrari und Giuseppe Scavizzi datieren die Zeichnung im Louvre um 1684–86 (vgl. Anm. 3). Der Entwurf zu einer «Kreuzaufrichtung» (vgl. Anm. 5) könnte mit dem 1690 datierten Gemälde desselben Themas in Verbindung stehen, das sich im Martin von Wagner Museum der Universität in Würzburg befindet; vgl.: Ferrari/Scavizzi 1992, Bd. I, S. 327, Nr. A 478.a, Bd. II, Abb. 601.

36 Ferdinando Galli Bibiena

1657 Bologna – 1743 Bologna

*Maler, Architekt und Bühnenbildner.
Schüler Carlo Cignanis und des
Architekten Giulio Troili. Von 1683 bis
1711 als Maler und Architekt für den
Herzog Ranuccio Farnese in Parma tätig,
später unter Karl VI. an den Wiener Hof
berufen. Begründer der Künstlerfamilie
Galli Bibiena, deren Mitglieder über
mehrere Generationen als Architekten
und Bühnenbildner an europäischen
Fürstenhöfen tätig waren.*

Entwurf zu architektonischen Gartendekorationen

Feder in Braun, braun und bräunlich-grün laviert,
über schwarzem Stift; mit Maßangaben in brauner
Feder.
Größe des Blattes: 27,8 × 25,4 cm
Größe der Darstellung: 25,3 × 25,4 cm
Beschriftung recto unten in Bleistift: «Bibiena
Ferdinando Chioschi p Giardino 255/252 8fc»
R 813

Provenienz:
Francesco Dubini, Mailand (Lugt 987a); Auktion
Sotheby's, London, 7.12.1976, Nr. 55, Abb. S. 39.

Wenngleich es sich oft als schwierig erweist, die einzelnen Mitglieder der
Bibiena-Familie stilistisch voneinander abzugrenzen, so darf man bei unserem
Blatt doch davon ausgehen, daß es sich um ein Werk Ferdinandos handelt. Die
Zeichnung schließt sich stilistisch einem gesicherten Blatt des Künstlers an, das
als Studie für einen Kupferstich in Ferdinando Bibienas «Architettura civile»
diente, welche 1711 von Paolo Monti herausgegeben wurde.[1]
Die auf dem ausgestellten Blatt in Feder beigefügten, detaillierten Maßangaben,
die sich in ähnlicher Weise auf einer Zeichnung Ferdinandos in Stuttgart wieder-
finden,[2] lassen darauf schließen, daß unsere Entwürfe nicht als Stichvorlage
konzipiert waren, sondern nach diesen architektonische Gartendekorationen
ausgeführt werden sollten.
Gartenpavillons, die dem auf unserem Blatt links dargestellten vergleichbar sind,
finden sich auf zwei Stichen, die nach Entwürfen Giuseppe Galli Bibienas, dem
Sohn Ferdinandos, entstanden sind.[3]

[1] München, Staatliche Graphische Sammlung, Inv. Nr. 35316; vgl.: Venedig 1970, S. 18 f., Nr. 12
   (mit Abb.).
[2] Stuttgart, Staatsgalerie, Graphische Sammlung, Inv. Nr. C65/1388; vgl.: Thiem 1977b, S. 125, Nr. 252
   (mit Abb.).
[3] Vgl.: Gregor 1924, Abb. 32, und ein Stich von Johann Andreas Pfeffel nach Giuseppe Galli Bibiena;
   (Photo Witt Library, London).

Bibiena Ferdinando — Chiesti & Giardino   255/252   8/c

37 Ubaldo Gandolfi

1728 San Matteo della Decima (Bologna) –
1781 Ravenna

Älterer Bruder Gaetano Gandolfis.
Schüler von Felice Torelli,
Ercole Graziani und Ercole Lelli.
1760–61 Venedig-Aufenthalt. Vor
allem für kirchliche Auftraggeber in
Bologna und der Emilia-Romagna tätig.

Maria Immaculata

Feder in Braun, braun laviert, über Rötel.
Größe des Blattes: 29,8 × 21,1 cm
Größe der Darstellung: 27,2 × 19,0 cm
Beschriftung verso in Feder: «P. 8–» (oben)
«Ubaldo Gandolfi f» (unten)
R 889

Provenienz:
Sammlung Frizzoni, Bergamo; Eva Denker-
Winkler, Zürich.

Literatur:
Bagni 1989, S. 83, Taf. 68;
Biagi Maino 1990, S. 89 und 93 (Fußnote 2),
Taf. XXXV;[1]
Bagni 1992, S. 104, Nr. 91 (mit Abb.).

Wie Prisco Bagni erstmals darlegte,[2] handelt es sich bei dieser Zeichnung um eine Vorstudie zum Gemälde «Maria Immaculata» in der Klosterkirche Santo Spirito in Cingoli (Macerata),[3] das um 1768 in Auftrag gegeben wurde und sich heute in kommunalem Besitz befindet (siehe Vergleichsabbildung).[4]

Bis auf einige kleinere Abweichungen, insbesondere der Haltung des Engels links im Vordergrund, wurde unsere Komposition unverändert in die Gemälde-fassung übernommen.

Eine weitere Vorstudie in Rötel zur Figur der Madonna befindet sich in Mailand.[5]

[1] Die Beischriften der Tafeln XXXIV und XXXV wurden vertauscht.
[2] Bagni 1989, S. 83.
[3] Die Zuschreibung des Gemäldes an Gandolfi ist Angelo Mazza zu verdanken; vgl.: Bagni 1992, S. 102, unter Nr. 89.
[4] Vgl.: Bagni 1989, S. 83.
[5] Mailand, Pinacoteca di Brera, Gabinetto Disegni e Stampe, Inv. Nr. 140/ID; vgl.: Bagni 1992, S. 105, Nr. 92 (mit Abb.).

Ubaldo Gandolfi, *Maria Immaculata*, ehemals Klosterkirche Santo Spirito, Cingoli (Macerata)

38 Gaspare Diziani

1689 Belluno – 1767 Venedig

*Schüler von Antonio und Gregorio
Lazzarini, danach bei Sebastiano Ricci.
Lebte und arbeitete überwiegend in
Venedig. Von 1717 bis 1720 in Dresden
und München, später für kurze Zeit
auch in Rom und seinem Geburtsort
Belluno tätig.*

Die Opferung Isaaks

Rötel, Feder in Graubraun, Pinsel in Dunkelbraun,
grau laviert, weiß gehöht.
39,1 × 28,4 cm
R 703

Provenienz:
Arthur Sambon, Paris;[1] Hans Calmann, London;
Herbert List, München (Stempel nicht bei Lugt).

Literatur:
Peter Dreyer, in: München u. a. 1977/78, Nr. 96;
Luzern 1979, S. 54, Nr. 85;
Pignatti 1981, S. 69, unter Nr. 295.

Stilistisch und technisch fügt sich das ausgestellte Blatt problemlos in das zeichnerische Œuvre Gaspare Dizianis ein. Im Katalog der Stiftung Ratjen 1977 wurde in Erwägung gezogen,[2] ob hier eine freie Vorstudie für das hochovale Gemälde «Die Opferung Isaaks» vorliegen könnte, das Diziani um 1755 für San Lorenzo in Venedig-Mestre ausführte.[3] Die Haltung des Abraham auf unserem Blatt, insbesondere die Position der Beine, weist jedoch auch enge Parallelen mit der entsprechenden Figur auf einem weiteren Gemälde zu demselben Thema auf, das sich ehemals im Wiener Kunsthandel befand[4] und wohl ebenfalls circa 1750–55 zu datieren ist. Für welches der beiden Gemälde unser Blatt als Vorstudie diente – wenn es überhaupt als eine solche konzipiert war –, läßt sich nicht mit Sicherheit sagen.

Ein weiteres Blatt des Künstlers mit dem Thema der «Opferung Isaaks» befindet sich im Museo Correr in Venedig.[5]

[1] Dessen Monogramm in Feder unten rechts (nicht bei Lugt).
[2] P. Dreyer, in: München u. a. 1977/78, Nr. 96.
[3] Vgl.: Zugni-Tauro 1971, S. 77, Tafel 194.
[4] Vgl.: Verkaufskatalog Galerie Sanct Lukas, *Gemälde Alter Meister,* Wien 1973/74, Nr. 28 (mit Abb.).
[5] Venedig, Museo Correr, Inv. Nr. 5669; vgl.: Pignatti 1981, S. 69, Nr. 295, Abb. S.70.

39 Francesco Fontebasso

1707 Venedig[1]–1769 Venedig

Schüler von Sebastiano Ricci; Studienaufenthalte in Rom und Bologna. Später insbesondere durch das Frühwerk Giambattista Tiepolos beeinflußt. 1761 Berufung als Hofmaler nach Sankt Petersburg durch Katharina die Große. 1762 Rückkehr nach Venedig; wurde 1768 Präsident der Venezianischen Akademie.

Alexander vor der Leiche des Darius

Schwarzer Stift, Feder in Braun, Pinsel in Braungrau, Schwarz und Rotbraun, weiß gehöht.
46,3 × 33,0 cm
R 602

Provenienz:
Auktion Stephan List, Frankfurt a. M., Auktion 65, 3.4.1971, Nr. 340 als «Italienisch 18. Jahrhundert»; Herbert List, München (ohne Stempel).

Literatur:
Peter Dreyer, in: München u. a. 1977/78, Nr. 103; Luzern 1979, S. 58, Nr. 100; Meinolf Trudzinski, in: Hannover/Düsseldorf 1991/92, S. 302, unter Nr. 106.

Dieses Blatt gehört zu einer Reihe annähernd gleich großer, bildmäßig durchgeführter Zeichnungen, die, wie James Byam Shaw erstmals zeigte,[2] in zwei Themenbereiche unterteilt sind. Die erste Folge, von der sich allein 28 Blätter im Museo Correr in Venedig befinden,[3] behandelt biblische Themen, die zweite, zu der das ausgestellte Blatt gehört, stellt Szenen aus der antiken Geschichte dar.[4] Bei diesen Zeichnungen handelt es sich wohl nicht um Vorarbeiten zu Gemälden, sondern um eigenständige Kunstwerke.

Terisio Pignatti schlägt für die Blätter im Museo Correr eine Datierung in die Mitte des 18. Jahrhunderts vor.[5]

Das Thema der Darstellung, Alexander der Große vor der Leiche seines besiegten Feindes,[6] des Perserkönigs Darius, ist bei Plutarch XXXIII, 43 überliefert.

[1] Zur Rückdatierung des bisher mit 1709 angegebenen Geburtsdatums vgl.: Magrini 1973/74, S. 285 f.
[2] Byam Shaw 1954, S. 318–320.
[3] Vgl.: Pignatti 1981, Nrn. 447–474.
[4] Weitere Zeichnungen zu Themen aus der antiken Geschichte befinden sich u. a. in der Albertina, Wien (Inv. Nrn. 1876; 1875; 1877; 1878; vgl.: Stix/Fröhlich-Bum 1926, Nrn. 331–334, Abb. S. 150)), im Ashmolean Museum, Oxford (vgl.: Byam Shaw 1954, Abb. 313) und in der Eremitage, Sankt Petersburg (Inv. Nr. 40046; vgl.: Hannover/Düsseldorf 1991/92, Nr. 106 (mit Abb.)).
[5] Pignatti 1981, S. 166.
[6] Ein weiteres Blatt mit einer Szene aus dem Leben Alexanders des Großen, nämlich «Alexander und Diogenes», befindet sich in der Albertina, Wien (Inv. Nr. 1875); vgl.: Stix/Fröhlich-Bum 1926, Nr. 332 (mit Abb. S. 150).

Giovanni Battista Tiepolo
1696 Venedig – 1770 Madrid

*Schüler von Gregorio Lazzarini, beein-
flußt von Giambattista Piazzetta,
Federico Bencovich und Sebastiano Ricci,
aber auch durch die Kunst Paolo
Veroneses. Von 1750 bis 1753 arbeitete
Tiepolo, zusammen mit seinen Söhnen
Giandomenico und Lorenzo, im Auftrag
des Fürstbischofs Carl Philipp von
Greiffenklau an der Ausgestaltung der
Residenz in Würzburg. Nach seiner
Rückkehr 1756 Ernennung zum Prä-
sidenten der Venezianischen Akademie.
1762 folgte er, begleitet von seinen beiden
Söhnen, einer Berufung König Karl III.
von Spanien nach Madrid, wo er u. a.
Fresken im Palacio Real ausführte.*

**Halbfigur eines männlichen Aktes,
darunter Studie eines linken Armes**

*Verso: Studie eines sitzenden, nach rechts gelehnten
männlichen Aktes mit angezogenen Beinen*
Recto und verso: Rötel und weiße Kreide auf
blauem Papier.
36,8 × 28,8 cm
Beschriftung recto unten links in brauner Feder:
«G.B.T./f. l. [Florins] C.M. [Conventions-Münze]
N°. 2793»;[1]
Beschriftung verso in Rötel: «Tiepolo Feᵗ»[2]
R 680

Provenienz:
Johann Dominik Bossi, München; seine Tochter
Maria Theresia Caroline, Ehefrau von Carl
Christian Friedrich Beyerlen, Stuttgart; Auktion
dieser Sammlung bei H.G. Gutekunst, Stuttgart,
27.3.1882;[3] Käufer: Eisenmann; Dr. Oscar
Eisenmann, Cassel; Wilhelm Lübke, Stuttgart;
Joseph Baer & Söhne, Frankfurt; Dr. Hans Wend-
land, Lugano; Auktion seiner Sammlung bei Ball
und Graupe, Berlin, 24./25.4.1931, Nr. 103;
Dr. Erich Alport, Oxford; Auktion Christie's,
London, 4.7.1972, Nr. 186 (mit Abb. des verso);
Herbert List, München (ohne Stempel).

Literatur:
Maria Santifaller, in: München u. a. 1977/78, Nr. 99;
Luzern 1979, S. 56, Nr. 97;
Knox 1980, Bd. I, S. 278, Nr. M. 572, S. 259, unter
Nr. M. 375.

Abbildung des verso siehe Frontispiz

Die ausgestellte Zeichnung gehört zu einer Gruppe stilistisch vergleichbarer Aktstudien derselben Technik, von denen sich allein zehn in der Staatsgalerie Stuttgart erhalten haben,[4] eine Studie – wie unser Blatt ehemals im Besitz von Hans Wendland in Lugano – befindet sich heute in einer New Yorker Privat-sammlung,[5] eine weitere war ehemals in der Sammlung Kühlmann, Ohlstadt.[6] Diese Zeichnungen, die offensichtlich nach dem lebenden Modell entstanden sind, waren wohl nicht als direkte Vorstudien zu einem Gemälde konzipiert, wenngleich einige von ihnen Giambattista durchaus bei der Vorbereitung des Bildes «Der sterbende Hyazinth» (circa 1752/53) inspiriert haben könnten.[7] In jedem Falle scheint eine Datierung dieser Gruppe von Aktstudien in die Würz-burger Zeit um 1752/53 naheliegend; dies wird auch durch stilistische Vergleiche mit Zeichnungen, die Werke Giambattistas aus dieser Schaffensphase vorberei-ten, bestärkt.[8]

Obwohl es oft schwierig ist, die Rötelzeichnungen von Giambattista und Gian-domenico stilistisch voneinander abzugrenzen – Maria Santifaller glaubte auf dem recto wie auf dem verso unseres Blattes sowohl die Hand des Vaters als auch die des Sohnes zu erkennen[9] –, scheinen doch beide Studien von der Hand Giambattistas zu stammen, was auch von James Byam Shaw[10] und George Knox[11] bestätigt wurde.

---

[1] Dieser Code findet sich auf vielen Zeichnungen der Bossi-Beyerlen-Sammlung; vgl.: Knox 1980, Bd. I, S. 205 f.

[2] Es handelt sich bei dieser Beschriftung möglicherweise um eine eigenhändige Signatur Giambattistas. Sie scheint von der gleichen Hand zu stammen wie die Aufschrift «Gio: Batta: Tiepolo Fᵗ» auf einer Aktstudie in der Staatsgalerie Stuttgart (Inv. Nr. 1444), die als authentische Signatur angesehen wird; vgl.: Knox 1980, Bd. I, S. 258, unter Nr. M. 373.

[3] Zu den Zeichnungen der Sammlung Bossi-Beyerlen vgl.: Knox 1980, Bd. I, S. 200–209.

[4] Vgl.: Stuttgart 1970, Nrn. 99–109, Abb. S. 113–119 (Nr. 109 wurde 1948 von der Staatsgalerie abge-geben).

[5] Vgl.: Hadeln 1927, Bd. I, S. 25, Bd. II, Tafel 123.

[6] Vgl.: Hadeln 1927, Bd. I, S. 27, Bd. II, Tafel 124.

[7] Lugano, Sammlung Thyssen-Bornemisza, Inv. Nr. 1934.29; vgl.: Morassi 1955, Abb. 41. Augen-scheinlich verwendete Giambattista für die Aktstudien wie auch für die Figur des Hyazinth denselben jungen Mann als Modell.

[8] Man vergleiche beispielsweise zwei Figurenstudien für das Deckenfresko des Treppenhauses in Würzburg, beide in Venedig, Museo Correr (Inv. Nrn. 7157, 7095) und drei Studien für das 1753 ent-standene Gemälde «Die Anbetung der Könige» (München, Bayerische Staatsgemäldesammlungen, Alte Pinakothek), die sich in der Eremitage in Sankt Petersburg (Inv. Nrn. 35185, 35183) und im Schlossmuseum in Weimar befinden (Inv. Nr. 1422). Vgl. hierzu: Knox 1980, Bd. I, Nrn. D.38, C.37, A. 82, A. 81, M. 505, Bd. II, Abb. 144, 152, 153, 155, 156.

[9] M. Santifaller, in: München u. a. 1977/78, S. 216, unter Nr. 99.

[10] Brief vom 18.10.1972 an Herbert List.

[11] Knox 1980, Bd. I, S. 278, unter Nr. M.572.

G. B. T.

𝖀. A. C. M.   No 2793

Die Heilige Familie

Feder in Braun, graubraun laviert.
22,3 × 19,2 cm. Auf einem venezianischen Papier
des 18. Jahrhunderts befestigt.
R 823

Provenienz:
Klosterbibliothek der Padri Somaschi (S. Maria della
Salute), Venedig (1810 aufgelöst); Conte Leopoldo
Cicognara; der Bildhauer Antonio Canova; dessen
Halbbruder Monsignor Giovanni Battista Sartori-
Canova; Francesco Pesaro, Venedig; aus dessen
Besitz 1842 von Col. Edward Cheney, Badger Hall,
Shropshire, erworben (vgl.: Lugt 444 und Suppl.);
dessen Schwager, Col. Alfred Capel Cure, Blake
Hall, Ongar, Essex; Auktion Sotheby's, London,
29.4.1885, unter Nr. 1024, 9 Alben;[1] Käufer:
Parsons, möglicherweise für einen irischen Privat-
sammler; darauffolgend im Besitz von William
Fagg, Sydenham; Messrs. B.T. Batsford, London;
Auktion Christie's, London, 14.7.1914, unter Nr.
49, 3 Alben; Käufer: Parsons; E. Parsons & Sons,
London (vgl.: Lugt 2881 und Suppl.); Savile Gallery, London;[2] Franz Koenigs, Haarlem (Lugt
1023a); D.G. van Beuningen, Rotterdam; Dr. Max
J. Friedländer, Amsterdam; Auktion seiner Sammlung bei Paul Brandt, Amsterdam, 17.3.1959, Nr. 29
(mit Abb.); Marianne Feilchenfeldt, Zürich.

Literatur:
Maria Santifaller, in: München u. a. 1977/78,
Nr. 100;
Luzern 1979, S. 54, Nr. 87;
Byam Shaw 1983, Bd. I, S. 290, unter Nr. 278,
Anm. 4.

Das ausgestellte Blatt gehört zu einer Gruppe von über siebzig Zeichnungen mit Variationen zum Thema der Hl. Familie, die aus einem Album stammen, welches 1928 durch einen Verkaufskatalog der Savile Gallery in London bekannt wurde. Auf der heute nicht mehr erhaltenen Innenseite des Albums befand sich eine detaillierte handschriftliche Notiz des Sammlers Edward Cheney zur Provenienz der Blätter von Tiepolo bis zur Erwerbung durch Cheney im Jahre 1842.[3]

Ihrzufolge hatte Giambattista dieses Album, das neben den Variationen zur Hl. Familie auch 93 Kopfstudien enthielt,[4] im Jahre 1762 dem Kloster der Padri Somaschi in Venedig geschenkt, in das sein zweitältester Sohn Giuseppe Maria aufgenommen worden war.

Die Blätter dieses Albums, die als eigenständige Kunstwerke konzipiert waren, sind folglich mit Sicherheit vor der Abreise der Familie Tiepolo nach Spanien (1762) entstanden; auch aus stilistischen Gründen ist eine Datierung in die Zeit zwischen 1754 und 1762 naheliegend.[5]

---

[1] George Knox erkannte als erster, daß Nummer 1024 der Sotheby's-Auktion vom 29.4.1885 nicht zwei Zeichnungsalben (wie im Katalog beschrieben) umfasste, sondern neun. Für eine genaue Aufstellung dieser Alben vgl.: Cambridge (Mass.) 1970, S. XIII–XVII, sowie: Knox 1975², S. 3–9 und 30 f., Anm. 1–13.

[2] Verkaufskatalog Savile Gallery, *Drawings by Giovanni Battista Tiepolo,* London 1928, Nr. 19(?). («St. Joseph Bending over Jesus»). Die genaue Katalognummer ist anhand der im Katalog angegebenen Titel nicht sicher auszumachen; das Blatt scheint jedoch zusammen mit mindestens einer weiteren Studie einer Hl. Familie (heute im Museum Boymans van Beuningen, Rotterdam, Inv. Nr. I 350) von Franz Koenigs aus der Ausstellung erworben worden zu sein; vgl.: Haverkamp-Begemann 1957, S. 46 f., Nr. 48 (mit Abb.).

[3] Verkaufskatalog Savile Gallery, *Drawings by Giovanni Battista Tiepolo,* London 1928.

[4] Vgl.: Cambridge (Mass.) 1970, S. XIV.

[5] Zu weiteren Blättern aus diesem Album vgl.: Byam Shaw 1983, Bd. I, S. 290, unter Nr. 278, Anm. 4.

42 Giovanni Domenico Tiepolo

1727 Venedig – 1804 Venedig

Maler und Radierer.
Ältester Sohn Giambattista Tiepolos,
dessen Schüler und engster Mitarbeiter
er war. Begleitete seinen Vater 1750
nach Würzburg, 1762 nach Madrid.
Nach dessen Tod im Jahre 1770 kehrte
Giandomenico aus Spanien nach
Venedig zurück.

Darbringung Christi im Tempel

Feder und Pinsel in Braun über Vorzeichnung in schwarzem Stift.
Größe des Blattes: 49,1 × 38,5 cm
Größe der Darstellung: 47,0 × 36,3 cm
Signiert unten rechts in brauner Feder: «Dom.°
Tiepolo f.»
R 930

Provenienz:
Auktion Hotel Drouot, Paris, 26.6.1913, Nr. 110
(mit Abb.); Privatsammlung Paris; Thomas le
Claire, Hamburg.[1]

Das Blatt gehört zu einer umfangreichen Serie großformatiger, bildmäßig durchgeführter Zeichnungen mit Darstellungen biblischer Themen. Diese ist mit großer Wahrscheinlichkeit in die Zeit nach Domenico Tiepolos Rückkehr aus Spanien im Jahre 1770 zu datieren.[2] Die Zeichnungen dieser Folge waren nicht als Vorstudien zu Gemälden, sondern als autonome Kunstwerke konzipiert. James Byam Shaw geht davon aus, daß die Serie in ihrer Gesamtheit mehr als 250 Blätter umfaßte.[3] In einem Zeichnungsband, der als sogenanntes «Recueil Fayet» bekannt ist[4] und sich heute im Louvre befindet, sind allein 138 dieser Blätter zusammengestellt. Weitere 82 Zeichnungen, die sich in der Sammlung M. Cormier in Tours befanden, wurden 1921 in Paris versteigert.
Fast alle Zeichnungen der Folge sind bis zum Bildrand vollständig ausgeführt. Bei vorliegendem Blatt hingegen fällt auf, daß – ähnlich wie bei drei Blättern des «Recueil Fayet»[5] – die zeichnerische Darstellung nicht den gesamten Bildraum einnimmt, sondern Teile der Komposition in ihrer Skizzenhaftigkeit belassen wurden.

[1] Verkaufskatalog Thomas le Claire, *Handzeichnungen und Aquarelle 1500–1900*, Katalog IV, Hamburg 1987, Nr. 40 (mit Abb.).
[2] Vgl.: Byam Shaw 1962, S. 36 f.
[3] Byam Shaw 1962, S. 36 f.
[4] Paris, Louvre, Cabinet des Dessins, Inv. Nr. R.F.1713 bis.
[5] Vgl.: Byam Shaw 1962, S. 37 (Nrn. 19, 36 und 55 des Zeichnungsbandes).

43 Lorenzo Tiepolo

1736 Venedig – 1776 Madrid

Sohn des Giambattista und jüngerer Bruder Giandomenico Tiepolos. Ausbildung bei seinem Vater, den er zusammen mit seinem Bruder 1750 nach Würzburg begleitete. 1762–70 zusammen mit Vater und Bruder im Auftrag des Königs von Spanien in Madrid tätig. Blieb nach dem Tod des Vaters 1770 in Madrid, wo er sich vor allem der Porträtmalerei in Pastell widmete.

Brustbild eines bärtigen alten Mannes mit orientalischer Kopfbedeckung, den Kopf auf die rechte Hand stützend

Schwarzer Stift, blaue, gelbgrünliche und rotbraune Pastellkreide, gewischt.
39,0 × 26,5 cm
Beschriftung unten verso in Feder: « L. T.» und «f[lorins]. 2.30 Xrs [Kreuzer] 30 C [?] M [Conventions-Münze] N° 282 [4?]» (unleserlich)[1]
R 901

Provenienz:
Johann Dominik Bossi, München; seine Tochter Maria Theresia Caroline, Ehefrau von Carl Christian Friedrich Beyerlen, Stuttgart; Auktion dieser Sammlung bei H.G. Gutekunst, Stuttgart, 27.3.1882;[2] Baron Ferdinand von Stumm; Auktion seiner Sammlung bei Hans W. Lange, Berlin, 30.3.1939, Nr. 103, Abb. Tafel 15 (als Giovanni Battista Tiepolo); Nikolaus und Ursula von Stumm, München.

Literatur:
Knox 1980, Bd. I, S. 249, Nr. M. 335.
Thiem 1994, S. 335–338, S. 347, Nr. 15, Abb. 31.

Unter den Hunderten von Kreidezeichnungen, die uns aus dem Atelier der Familie Tiepolo erhalten sind, finden sich nur sehr wenige, die mit Sicherheit Lorenzo Tiepolo, dem jüngeren Sohn Giambattistas, zugeschrieben werden können. Es handelt sich bei diesen Zeichnungen vor allem um Kopfstudien, die meist in einer Kombination von schwarzer, roter, weißer und gelegentlich auch blauer Kreide ausgeführt sind.

Mit dem ausgestellten Blatt besonders gut vergleichbar sind mehrere Kopfstudien dieser Technik, die auf dem gleichen weißen Papier gezeichnet sind, annähernd dieselben Maße aufweisen und deren Zuschreibung an Lorenzo auch durch alte Aufschriften gestützt wird. Eine dieser Zeichnungen wird in der Pierpont Morgan Library, New York, aufbewahrt,[3] eine zweite in einer New Yorker Privatsammlung;[4] je eine weitere befand sich ehemals in den Sammlungen de Vries[5] und des British Rail Pension Fund.[6] Dieser Gruppe schließt sich stilistisch die Kopfstudie einer Frau in der University Art Gallery, Yale, an, die jedoch andere Maße aufweist.[7]

George Knox datiert diese Zeichnungen in die Mitte der 1750er-Jahre, wohl aufgrund einer gewissen Ähnlichkeit mit Kopfstudien Giambattista und Giandomenico Tiepolos, die in dieser Zeit entstanden sind.[8] Terisio Pignatti hingegen wies bereits zu Recht auf die stilistische Ähnlichkeit der Kopfstudie in Yale mit den Pastellen im Prado hin, die Lorenzo während seiner Zeit in Spanien ausgeführt hat.[9] Es scheint deswegen naheliegend, die Blätter etwas später, nämlich um 1760 zu datieren, vielleicht sogar nach 1762, als sich Lorenzo bereits in Spanien aufhielt.

Eine Rötelzeichnung Giambattista Tiepolos, die sich in New Yorker Privatbesitz befindet,[10] scheint Lorenzo bei der Ausführung unseres Blattes inspiriert zu haben.

Bei dem Dargestellten auf unserer Zeichnung könnte es sich um dasselbe Modell handeln, das von Domenico und Lorenzo im Zusammenhang mit Domenicos Radierungsfolge «Raccolta di teste» gemalt wurde.[11]

[1] Dieser Code findet sich auf vielen Zeichnungen der Bossi-Beyerlen-Sammlung; vgl.: Knox 1980, Bd. I, S. 205 f.
[2] Zu den Zeichnungen der Sammlung Bossi-Beyerlen vgl.: Knox 1980, Bd. I, S. 200–209.
[3] «Kopfstudie der hl. Anna», New York, Pierpont Morgan Library, Inv. Nr. 1983.65 (Gift of Mr. Janos Scholz); vgl.: Cambridge (Mass.) 1970, Nr. 69 (mit Abb.), sowie: Knox 1980, Bd. I, S. 219, Nr. M.82.
[4] «Kopfstudie eines jungen Mannes, die Stirn auf die Hand stützend», Privatsammlung New York; vgl.: Kat. Auktion Sotheby's, London, 28.6.1979, Nr. 200, Abb. S. 102, sowie: Knox 1980, Bd. I, S. 249, Nr. M. 326.
[5] «Brustbild eines jungen Mannes», ehemals Sammlung de Vries; vgl.: Knox 1980, Bd. I, S. 219, Nr. M. 83, Bd. II, Taf. 187.
[6] «Brustbild eines jungen Mannes mit nach links gewendetem Kopf», ehemals British Rail Pension Fund Collection; vgl.: Kat. Auktion Sotheby's, London, 2.7.1990, Nr. 163 (mit Abb.), sowie: Knox 1980, Bd. I, S. 240, Nr. M.236, Bd. II, Taf. 188.
[7] «Kopfstudie einer Frau im Halbprofil» (32,3 × 22,6 cm), New Haven, Yale University Art Gallery, Inv. Nr. 1941,298; vgl.: Cambridge (Mass.) 1970, Nr. 66 (mit Abb.), sowie: Knox 1980, Bd. I, S. 222 f., Nr. M.112.
[8] Vgl.: Cambridge (Mass.) 1970, unter Nr. 66, sowie: Knox 1980, Bd. I, S. 43 und S. 57.
[9] T. Pignatti, in: Washington, D.C. u. a. 1974/75, S. 53 f., unter Nr. 113.
[10] «Kopfstudie eines alten Mannes mit Hut, seinen Kopf auf die rechte Hand stützend», Privatsammlung New York; vgl.: Kat. Auktion Christie's, London, 6.7.1987, Nr. 22 (mit Abb.), sowie: Knox 1980, Bd. I, S. 243, Nr. M.265.
[11] Vgl.: Knox 1975[b], S. 147–155, Abb. 45 und 46.

44 Antonio Canal, genannt **Canaletto**

1697 Venedig – 1768 Venedig

*Sohn und Schüler des Theatermalers
Bernardo Canal. Ging 1719 als Assistent
seines Vaters für circa ein Jahr nach Rom.
Während der folgenden Jahrzehnte
Hauptmeister der Vedutenmalerei in
Venedig. Auf Vermittlung des in Venedig
lebenden englischen Konsuls Joseph
Smith hielt sich Canaletto von 1746 bis
1750 und erneut von 1751 bis 1755
in London auf, wo er eine Reihe von
Themse- und Stadtansichten schuf.
Canalettos wichtigster Schüler war sein
Neffe Bernardo Bellotto.*

Das «Giovedì Grasso-Fest» auf der Piazzetta

Feder in Braun, grau laviert, weiß gehöht, über
schwarzem Stift.
38,5 × 55,3 cm
R 933

Provenienz:
Sir Richard Colt Hoare, Stourhead, Wiltshire;
Auktion Christie's, London, *Stourhead Heirlooms*,
2.6.1883, Nr. 32; Käufer: Davis; Earl of Rosebery,
Mentmore; Auktion Sotheby's, London,
11.12.1974, Nr. 10 (mit Abb.); Robert H. Smith,
Arlington, Virginia; John and Paul Herring & Co.,
New York.

Literatur:
Colt Hoare 1822, S. 75;
Watson 1949, Abb. 29;
Moschini 1954, S. 48–50, Tafel 275;
Constable 1962, Bd. I, Tafel 116, Nr. 636, Bd. II,
S. 482 und 485, Nr. 636;
Moschini 1963, S. 17, Nr. 68 (mit Abb.);
Venedig 1965, S. 202, unter Nr. 104;
Venedig 1967, S. 180, Nr. 83 (mit Abb.);
Moschini 1969, S. 21, Nr. 68 (mit Abb.);
Pignatti 1975, S. 42, S. 54, Abb. 19, S. 67, unter
Nr. 7;
Links 1982, S. 10 f., Abb. 2 und S. 212;
Alessandro Bettagno, in: Venedig 1982, S. 52,
Nr. 70 (mit Abb.);
Dario Succi, in: Gorizia/Venedig 1983, S. 90, unter
Nr. 63;
New York 1989/90, Nr. 122 (mit Abb.);
Margherita Azzi Visentini, in: Venedig 1993, S. 177
und 179;
Ruth Bromberg und J.G. Links, in: London/
Washington, D.C. 1994/95, S. 245 und 440, Nr. 151,
Abb. S. 244.

Zwischen 1763 und 1766[1] schuf Canaletto eine Folge von zwölf Zeichnungen, auf welchen Festlichkeiten und Zeremonien dargestellt waren, in deren Mittelpunkt der Doge stand.

Nach diesen Zeichnungen der Dogenfeste, die wohl von Anfang an als Reproduktionsvorlagen gedacht waren, fertigte Giambattista Brustolon eine Serie von zwölf Stichen, die ab 1766 von Lodovico Furlanetto herausgegeben wurden.[2] Von den ursprünglich zwölf Zeichnungen Canalettos scheinen zwei bereits im späten 18. Jahrhundert verlorengegangen zu sein, da Sir Richard Colt Hoare die uns heute noch erhaltenen zehn Zeichnungen[3] als geschlossene Gruppe zwischen 1787 und 1789[4] bei einem venezianischen Buchhändler erwarb.[5]

Unser Blatt stellt das «Giovedì Grasso-Fest» dar, das jährlich am letzten Donnerstag vor Beginn der Fastenzeit in Erinnerung an den venezianischen Sieg von 1164 über den Patriarchen von Aquileia gefeiert wurde. Der Doge ist in der Mitte der Säulenreihe an der Fassade des Dogenpalastes unterhalb einer aufgerollten Markise zu erkennen.[6] Vor ihm haben Akrobaten, auf Stangen balancierend, eine Menschenpyramide gebildet, die als «Forza d'Ercole» bezeichnet wurde. Über den Platz nach rechts oben sind zwei vom Bildrand abgeschnittene Seile gespannt, welche zur Spitze des rechts angedeuteten Campanile verlaufen. Sie dienten dem «Volo del Turco» oder «della Columbina», wobei am linken Seil, das unmittelbar vor dem Dogen endete, ein festlich gekleideter Jüngling herabschwebte, der dem Dogen Blumen zuwarf und huldigende Verse vortrug. Von dem auf der Piazzetta stehenden, nur temporär errichteten dreistöckigen barocken Pavillon aus wurde abends zum Abschluß des Festes ein Feuerwerk abgebrannt.[7]

Nach Canalettos Tod schuf Francesco Guardi auf der Basis von Brustolons Stichfolge zwölf Ölgemälde, von denen sich das «Giovedì Grasso-Fest» und sieben weitere heute im Louvre befinden.[8] Die übrigen vier werden im Musée Royal des Beaux-Arts in Brüssel, in Grenoble und im Musée des Beaux-Arts in Nantes aufbewahrt.[9]

[1] Diese Datierung gilt zumindest für acht der Blätter, zu denen auch das «Giovedì Grasso-Fest» gehört, da die erste Folge mit acht Stichen Brustolons nach den Zeichnungen Canalettos 1766 herausgegeben wurde (vgl. auch Anm. 2); das Jahr 1763 darf als terminus post quem gelten, da auf unserer Zeichnung das Wappen des Dogen Alvise IV. Mocenigo dargestellt ist, dessen Amtszeit 1763 begann (vgl. Anm. 6); vgl. hierzu auch: Pignatti 1975, S. 42 ff.

[2] Die Publikation der ersten acht Stiche wurde im März 1766 von Furlanetto angekündigt; einige Monate später erhielt er die Erlaubnis, die Serie um vier weitere Stiche zu ergänzen. Das genaue Publikationsdatum der vollständigen Stichserie ist noch nicht eindeutig geklärt. Eine ausführliche Behandlung der Stichfolge findet sich bei Dario Succi, der auch den Forschungsstand bezüglich des Zeitpunktes der Publikation von Brustolons Stichen zusammenfaßt; vgl.: D. Succi, in: Gorizia/Venedig 1983, S. 87–93, Nrn. 59–66.

[3] Vgl. neben dem ausgestellten Blatt vier Zeichnungen im British Museum, Department of Prints and Drawings, London (Inv. Nrn. 1910.2.12.18; 1910.2.12.19; 1910.2.12.20; 1910.2.12.21), eines in der National Gallery, Washington, D.C. (The Samuel H. Kress Collection, Inv. Nr. 1963.15.5), zwei in einer Privatsammlung in Wiltshire, sowie zwei weitere in Privatsammlungen in Paris und Washington, D.C.; vgl.: Pignatti 1975, S. 42–60, Abb. 1, 4, 7, 10, 13, 16, 19, 22, 25, 28.

[4] Vgl. hierzu: Pignatti 1975, S. 54 f.

[5] W.G. Constable vermutet, daß es sich bei dem Buchhändler um Furlanetto selbst gehandelt haben könnte; vgl.: Constable 1962, Vol. II, S. 482.

[6] Es handelt sich um den Dogen Alvise IV. Mocenigo, dessen Amtszeit von 1763–78 dauerte. Sein Wappen ist an dem auf der Piazzetta stehenden Pavillon in Höhe der ersten Brüstung angebracht.

[7] Vgl.: Tamassia Mazzarotto 1961, S. 31–39.

[8] Vgl.: Pignatti 1975, Abb. 9, 15, 18, 21, 24, 27, 30, 32.

[9] Vgl.: Pignatti 1975, Abb. 3, 6, 12, 34.

45 Giovanni Battista Piranesi
1720 Mogliano bei Mestre – 1778 Rom

Radierer und Architekt.
Erster Unterricht bei seinem Onkel,
dem Architekten Matteo Lucchesi, in
Venedig. Kam 1740 nach Rom, um die
römische Baukunst zu studieren. 1743
Reise nach Neapel, die ihn dazu
anregte, römische Altertümer in
Graphiken bekanntzumachen. Ab
Ende 1743 für einige Zeit in Venedig,
danach in Rom ansässig.

Enthauptungsszene (?)

Feder und Pinsel in Braun über Rötel.
25,5 × 18,7 cm. Auf ein festes Papier des 18. Jahrhunderts aufgezogen und mit einer doppelten Linie in brauner Feder umrandet.
Signiert unten rechts in brauner Feder: «Piranesi»;
Beschriftung verso auf der Unterlage in brauner Feder: «B. P. L. 114.»
R 814

Provenienz:
Brunet-Lotter, Tours; Jacques Petithory, Paris
(Stempel nicht bei Lugt).

Literatur:
Roseline Bacou, in: Paris 1971[b], S. 115, Nr. 144
(mit Abb.);
Bacou 1974, Abb. S. 36;
New York u. a. 1975/76, S. 58, unter Nr. 54;
Peter Dreyer, in: München u. a. 1977/78, Nr. 102;
Bacou 1978, S. 36 und 41, Abb. 13;
Venedig 1978, S. 32, unter Nr. 11;
London 1978, S. 13, unter Nr. 7;
Pavanello 1979, S. 206;
Luzern 1979, S. 60, Nr. 103;
Ekserdjian 1989, S. 703;
Meinolf Trudzinski, in: Hannover/Düsseldorf
1991/1992, S. 352, unter Nr. 131.

Das ausgestellte Blatt gehört zu einer Reihe annähernd gleichformatiger Zeichnungen derselben Technik, die aller Wahrscheinlichkeit nach aus einem aufgelösten Skizzenbuch des Künstlers stammen.[1] Unter den bisher bekannten Blättern dieses Skizzenbuches finden sich neben unserer Zeichnung vier weitere Blätter mit mehrfigurigen Kompositionen, die im Ashmolean Museum, Oxford,[2] in der Hamburger Kunsthalle,[3] in der Pierpont Morgan Library, New York,[4] und ein zweites in der Stiftung Ratjen, Vaduz[5] (siehe Kat. Nr. 46), aufbewahrt werden. Diese Zeichnungen sind – wie viele weitere Blätter Piranesis, die zum Teil wohl ebenfalls aus Skizzenbüchern stammen – mit einer Signatur versehen. Ihnen allen ist auch die Montierung mit einer doppelten Umrandungslinie in brauner Feder gemeinsam. Da die Signatur bei einigen Blättern – so zum Beispiel auf der Zeichnung der Pierpont Morgan Library – über das Blatt hinaus auf die Unterlage geht,[6] liegt der Schluß nahe, daß Piranesi Skizzenbücher aus seiner Frühzeit selbst aufgelöst, die Einzelblätter montiert und dann signiert hat.[7] Dies erfolgte jedoch wohl erst viele Jahre nach Entstehung der Zeichnungen, möglicherweise Anfang der 1760er-Jahre.[8]
Bei vielen der von Piranesi eigenhändig aufgezogenen und signierten Blätter findet sich zudem auf der Rückseite der Montierung die Aufschrift «B. P. L.», gefolgt von einer dreistelligen Numerierung.[9] Diese Beschriftung wurde von Hans Calmann als Abkürzung für «Battista Piranesi Libro...» gedeutet.[10]
Die Gruppe figürlicher Kompositionen wird allgemein circa 1744/45 datiert, in die Zeit einer der Venedigaufenthalte Piranesis,[11] in denen er vor allem durch die Kunst Giambattista Tiepolos angeregt wurde.[12] Die thematische Deutung der Blätter erweist sich – wie auch in unserem Falle – als schwierig.

---

[1] Die Zuordnung dieser Blätter zu *einem* Skizzenbuch erfolgt aufgrund der annähernd gleichen Maße sowie des unregelmäßigen Papierrandes der Zeichnungen an jeweils einer Seite – bei Hochformaten links, bei Breitformaten oben –, was auf das Heraustrennen der Blätter aus einem Skizzenbuch zurückzuführen ist. Zu den einzelnen Zeichnungen vgl. Anm. 9.

[2] Oxford, Ashmolean Museum, Inv. Nr. 1038; vgl.: Venedig 1978, S. 32, Nr. 11 (mit Abb.).

[3] Hamburg, Kunsthalle, Inv. Nr. 1915/638; vgl.: Venedig 1978, S. 33, Nr. 12 (mit Abb.).

[4] New York, Pierpont Morgan Library, Inv. Nr. 1968.13 (Gift of Mr. & Mrs. Eugene V. Thaw); vgl.: New York u. a. 1975/76, S. 58 f., Nr. 54 (mit Abb.).

[5] Vaduz, Stiftung Ratjen, Inv. Nr. R 910.

[6] Vgl.: Anm. 4.

[7] Vgl. auch: Thomas 1954, S. 50, unter Nr. 44. Hierfür spricht auch, daß die Tinte der Signatur mit der Umrandungslinie der Montierung identisch ist.

[8] Eine Zeichnung in der Hamburger Kunsthalle (Inv. Nr. 1915/648, vgl.: Hannover/Düsseldorf 1991/92, Nr. 132 (mit Abb.)), deren Federausführung – über einer möglicherweise schon früher angelegten Rötelskizze – um 1760 entstanden zu sein scheint, könnte den Zeitpunkt bestimmen, zu dem Piranesi die Blätter montiert und signiert hat, da die Federausführung über das Blatt hinaus auf die Montierung geht und die Tinte mit der der Montierungslinien und Signatur identisch ist. Auch ein graphologischer Vergleich der Signatur der Zeichnungen mit einem Brief Piranesis von 1744 – also der Entstehungszeit unserer Blätter – zeigt vor allem in der Buchstabenbildung erhebliche Unterschiede (vgl.: Bettagno 1983, Abb. 73). Der Signatur sehr viel ähnlicher hingegen ist das Schriftbild späterer Zeit, wie z. B. eines Briefes aus dem Jahre 1772 (vgl.: New York/Montréal 1993/94, S. 119 f., Nr. 65 (mit Abb.)).

[9] Zu den Zeichnungen des oben erwähnten, aufgelösten Skizzenbuches und deren Numerierung verso vgl.: zwei Blätter in Boston, Museum of Fine Arts (Inv. Nr. 26.424: B. P. L. N° 122 und Inv. Nr. 26.425: B. P. L. N° 107), fünf Zeichnungen in der Hamburger Kunsthalle (Inv. Nr. 1915/578: B. P. L. N° 122; Inv. Nr. 1915/649: B. P. L. N° 130; Inv. Nr. 1915/651: B. P. L. N° 126; Inv. Nr. 1915/652: ohne Beschriftung verso; Inv. Nr. 1915/653: B. P. L. N° 136) sowie ein Blatt in Mailand, Direzione delle raccolte d'arte (Inv. Nr. B 1849: B. P. L. N° 132).
Die fünf bisher bekannten figürlichen Kompositionen (vgl. Anm. 2–5) tragen folgende Numerierung verso: Oxford, Ashmolean Museum, Inv. Nr. 1038: B. P. L. N° 113; Vaduz, Stiftung Ratjen, Inv. Nr. R 814: B. P. L. 114; Vaduz, Stiftung Ratjen, Inv. Nr. R 910: B. P. L. N° 115; New York, Pierpont Morgan Library, Inv. Nr. 1968.13: B. P. L. N° 116; Hamburg, Kunsthalle, Inv. Nr. 1915/638: B. P. L. N° 118.

[10] Vgl.: Thomas 1954, S. 46, unter Nr. 33.

[11] Andrew Robison weist darauf hin, daß Piranesi während dieser Jahre zweimal in Venedig weilte: kurz zwischen Frühling und Frühsommer 1744 und von Juli 1745 bis August 1747; vgl.: Robison 1986, S. 9 f.

[12] Als Beispiele für die Art der Zeichnungen Giambattista Tiepolos, die Piranesi bei der Ausführung dieser figürlichen Kompositionen beeinflußt haben könnten, wären zu nennen: Tiepolos Studie zum 1733 entstandenen Fresko «Enthauptung Johannes des Täufers» in der Colleoni-Kapelle in Bergamo (vgl.: Venedig 1957, S. 42 f., Nr. 68 (mit Abb.)), der Entwurf zum «Martyrium eines Heiligen» (vgl.: Kat. Auktion Sotheby's, London, 25.3.1965, Nr. 90 (mit Abb.)) und die Darstellung von «Maria und Kind mit Heiligen» in der Sammlung Hyde, Glens Falls, N. Y. (vgl.: Cambridge (Mass.) 1970, Nr. 12 (mit Abb.)).

Mordszene (?)

Feder und Pinsel in Braun über Rötel.
25,5 × 18,4 cm. Auf ein festes Papier des 18. Jahrhunderts aufgezogen und mit einer doppelten Linie
in brauner Feder umrandet.
Signiert unten rechts in brauner Feder: «Piranesi»;
Beschriftung verso auf der Unterlage in brauner
Feder: «B. P. L. N° 115»
R 910

Provenienz:
Thomas le Claire, Hamburg.[1]

Literatur:
Ekserdjian 1989, S. 702 f., Abb. 32;
Giovanna Nepi Scirè, in: Venedig/Washington,
D.C. 1990/91, S. 258, unter Nr. 38.

Dieses Blatt gehört zu derselben, in der vorigen Katalognummer besprochenen
Gruppe von bisher fünf bekannten figürlichen Kompositionszeichnungen; sie
alle stammen aus *einem* Skizzenbuch und werden in die Zeit 1744/45 datiert,
während der sich Piranesi in Venedig aufhielt (vgl. Kat. Nr. 45).
Wie David Ekserdjian als erster erkannte, hat Piranesi die Figur des keulenschwingenden bärtigen Mannes im Vordergrund unserer Zeichnung aus Tizians
Deckengemälde «Kain erschlägt Abel» entlehnt (siehe Vergleichsabbildung).[2]
Dieses Gemälde war ursprünglich für die Kirche Santo Spirito in Isola in Venedig ausgeführt worden, befand sich jedoch bereits zu Piranesis Zeit – wie auch
heute noch – in der Sakristei der Santa Maria della Salute in Venedig.
Das Thema der auf unserem Blatt dargestellten Szene kann – wie bei den meisten
dieser figürlichen Kompositionen – bislang nicht eindeutig identifiziert werden;
aufgrund der Anwesenheit einer dritten Figur im Hintergrund der Zeichnung ist
eine Deutung als «Kain erschlägt Abel» auszuschliessen.[3]

[1] Verkaufskatalog Thomas le Claire, *Handzeichnungen alter Meister 1500–1800,* Katalog III, Hamburg
   1985, Nr. 31 (mit Abb.).
[2] Ekserdjian 1989, S. 702 f., Abb. 32 und 33.
[3] Vgl. auch: Ekserdjian 1989, S. 703, Anm. 11.

Tizian, *Kain erschlägt Abel,* S. Maria della Salute, Venedig

Blick in eine antike Thermenanlage

Feder in Schwarz, grau laviert, über Spuren von
schwarzem Stift.
13,7 × 20,0 cm. Auf ein festes Papier des 18. Jahrhunderts aufgezogen und mit einer doppelten Linie
in brauner Feder umrandet.
Signiert unten links in brauner Feder: «Piranesi»;
Beschriftung oben rechts in Rötel: «Libro»
R 849

Provenienz:
Auktion Sotheby's, London, 3.7.1980, Nr. 76,
Abb. S. 62.

Literatur:
William L. Barcham, in: New York 1994, S. 66,
unter Nrn. 26 und 27.

Die ausgestellte Zeichnung diente seitenverkehrt als Vorlage für die Radierung
«Appartenenze d'antiche terme con scale che conducono alla palestra, e al teatro» (siehe Vergleichsabbildung). Diese gehört zu einer Gruppe von fünf kleinen
Architekturphantasien, die – zusammen mit fünf Radierungen aus den «Lettere
di giustificazione scritte a Milord Charlemont» – der zweiten Auflage von
Piranesis «Opere Varie» zu Beginn der 1760er-Jahre als Ergänzung hinzugefügt
worden waren.[1]

Neben unserem Blatt haben sich drei weitere Zeichnungen erhalten, die Piranesi
als Vorlage für die den «Opere Varie» hinzugefügten Architekturphantasien verwendete. Von diesen Blättern, die im Gegensatz zur ausgestellten Zeichnung sei-
tengleich radiert wurden, befinden sich zwei in der Sammlung Peter Jay Sharp,
New York,[2] eine weitere war ehemals in der Sammlung George A. Simonson,
London.[3]

Die Beschriftung «Libro» rechts oben auf unserer Zeichnung im Zusammenhang mit der Montierung und Signatur scheint für Hans Calmanns Deutung der
auf vielen dieser Zeichnungen zu findenden Aufschrift «B. P. L.» als «Battista
Piranesi Libro» zu sprechen[4] (vgl. auch Kat. Nr. 45 und 46).

[1] Zur Schwierigkeit der Datierung der hinzugefügten Radierungen vgl.: M. Calvesi und A. Monferini,
in: Focillon 1967, S. 293 f.
[2] Vgl.: New York 1994, Nrn. 26 und 27 (mit Abb.).
[3] Photo Witt Library, London.
[4] Vgl.: Thomas 1954, S. 46, unter Nr. 33.

Appartenenze d'antiche terme con scale che conducono alla palestra, e al teatro.

Giovanni Battista Piranesi, *Blick in eine antike Thermenanlage*, Radierung

48 Francesco Zuccarelli

1702 Pitigliano (Grosseto) – 1778 Florenz

Maler und Zeichner idealer Land-
schaften. Kam um 1732 nach Venedig,
wo er den britischen Konsul Joseph
Smith als Mäzen gewann. Auf dessen
Empfehlung 1742 Reise nach England.
Aufenthalte dort von 1752 bis 1762
und 1768 bis 1771. Tätigkeit als
Bühnenmaler an der Londoner Oper.
1768 Gründungsmitglied der Royal
Academy of Arts. 1772 Rückkehr nach
Venedig; im selben Jahr Präsident der
Venezianischen Akademie. 1773 Über-
siedelung nach Florenz.

Bergige Flußlandschaft mit Badenden

Schwarzer Stift, Feder in Braun, schwarzgrau
laviert, weiß gehöht.
32,8 × 50,7 cm
R 808

Provenienz:
Armando Neerman, London.

Literatur:
Peter Dreyer, in: München u. a. 1977/78, Nr. 104;
Luzern 1979, S. 58, Nr. 99;
Byam Shaw 1980, Taf. 11;
George Knox, in: Byam Shaw/Knox 1987, S. 222,
unter Nr. 182;
Richard Harprath, in: München 1990, S. 39, unter
Nr. 38;
Bernd Schälicke, in: Hannover/Düsseldorf
1991/92, S. 400, Nr. 155 (mit Abb.).

Das Blatt reiht sich in eine Gruppe stilistisch vergleichbarer Landschaftszeich-
nungen ein, die teilweise monogrammiert bzw. signiert sind.[1] Dabei handelt
es sich meist wohl nicht um Landschaftsstudien nach der Natur, sondern um
Kompositionen, die der Phantasie des Künstlers entsprangen.

Wenngleich sich in den letzten Jahren einige wenige Anhaltspunkte zur zeit-
lichen Einordnung einzelner Zeichnungen Zuccarellis finden ließen,[2] ist es bis
jetzt nicht möglich gewesen, eine durchgehende chronologische Ordnung für
sein zeichnerisches Œuvre zu erstellen. Auch das ausgestellte Blatt ist bislang
nicht eindeutig zu datieren.

Eine Kopie nach unserer Landschaftskomposition wurde 1993 bei Sotheby's,
London, versteigert.[3]

---

[1] Ein monogrammiertes, dem ausgestellten stilistisch eng verwandtes Blatt bewahrt der Louvre (Paris,
Louvre, Cabinet des Dessins, Inv. Nr. 1049); drei weitere Zeichnungen befanden sich im Kunsthandel:
vgl.: Kat. Auktion Sotheby's, London, 6.7.1987, Nr. 68 (mit Abb.); Verkaufskatalog Baskett & Day,
London 1988, Nr. 20 (mit Abb.); Kat. Auktion Christie's, London, 7.7.1992, Nr. 207 (mit Abb.).
Ein mit «FZ [ligiert] *uccarelli*» signiertes Blatt wurde bei Christie's, London, am 6.7.1987 als Nr. 48
(mit Abb.) versteigert.

[2] Ein monogrammiertes und laut Katalog vom Künstler 1727 datiertes Blatt wurde bei Christie's,
London, am 20.4.1993 als Nr. 127 versteigert; für zwei weitere Blätter besitzen wir einen terminus ante
quem, da sie 1767 von John Barnard direkt vom Künstler erworben wurden; vgl.: Kat. Auktion
Sotheby's, London, 26.11.1970, Nr. 56 (mit Abb.), sowie: Kat. Auktion Sotheby's, London, 6.7.1987,
Nr. 68 (mit Abb.).

[3] Vgl.: Kat. Auktion Sotheby's, London, 5.7.1993, Nr. 240 (ohne Abb.).

49 Pompeo Batoni
1708 Lucca – 1787 Rom

Ausbildung in Rom bei Sebastiano Conca und Agostino Masucci; daneben selbständiges Studium der Werke Raffaels und der Antike, die seinen künftigen Stil maßgeblich beeinflußten. Zahlreiche Arbeiten christlichen und mythologischen Inhalts für in- und ausländische Auftraggeber; besonders geschätzt auch als Porträtist. Neben Anton Raphael Mengs Hauptmeister des frühen Klassizismus in Rom.

Studienblatt mit zwei Putti, einer linken Hand und einem stoffumhüllten rechten Arm

Rötel, weiß gehöht, auf gelblich getöntem Papier; teilweise mit Rötel quadriert.
28,0 × 21,0 cm. Aufgezogen.
R 412

Provenienz:
Carmen Gräfin Finckenstein, Zürich und Ascona;[1] Herbert List, München (Stempel nicht bei Lugt).

Literatur:
Peter Dreyer, in: München u. a. 1977/78, Nr. 112;
Luzern 1979, S. 96, Nr. 166;
Clark 1985, S. 387, Nr. D 219;
Keith Christiansen, in: New York 1985, S. 225, unter Nr. 144.

Die Einzelstudien dieses Blattes dienten Batoni zur Vorbereitung seines Gemäldes «Herkules am Scheideweg», das sich in der Sammlung des Fürsten von Liechtenstein in Vaduz befindet (siehe Vergleichsabbildungen). Das 1748 entstandene Bild stellt den nachdenklichen Herkules dar, der sich zwischen der Tugend – verkörpert durch die Göttin Minerva – und dem Laster – der Venus – entscheiden soll.[2] Im linken unteren Teil des Gemäldes findet sich, teilweise verdeckt durch die Gestalt der Minerva, die nach unseren Skizzen entstandene Gruppe der beiden Putti, welche die Keule des Herkules mit dem darüber gelegten Löwenfell anzuheben versuchen. Die Studie der linken Hand gehört zum rechten knienden Putto, der stoffumhüllte rechte Arm zur sitzenden Figur der Venus.

Die Gruppe der beiden Putti mit Keule und Löwenfell wurde im Jahre 1760, als sich das Gemälde bereits in der fürstlichen Sammlung in Wien befand, von Jakob Schmutzer als Vignette für die Buchausgabe eines Operntextes nachgestochen.[3]

[1] Zur Provenienz der Batoni-Zeichnungen aus dem Besitz der Gräfin Finckenstein siehe: E. P. Bowron, in: Philadelphia 1980/81, S. 44 f.
[2] Das Thema «Herkules am Scheideweg» hat Batoni erstmals 1742 in einem Gemälde behandelt, das sich heute in der Galleria d'Arte Moderna, Palazzo Pitti, Florenz, befindet; vgl.: Clark 1985, Nr. 67, Abb. 66. Zwei spätere, das Vaduzer Bild abwandelnde Fassungen werden in der Galleria Sabauda, Turin, und in der Eremitage, Sankt Petersburg, aufbewahrt; vgl.: Clark 1985, Nrn. 173 und 288, Abb. 165 und 264.
[3] Buchausgabe der Oper «Alcide al Bivio» von Metastasio, komponiert von Johann Adolf Hasse, Wien 1760; vgl.: Panofsky 1930, S. 134.

Detail

Pompeo Batoni, *Herkules am Scheideweg,* Sammlung des Fürsten von Liechtenstein, Vaduz

50 Antonio Cavallucci

1752 Sermoneta (Latium) – 1795 Rom

Entscheidende Einflüsse durch Pompeo Batoni und Anton Raphael Mengs. Arbeiten mit mythologischem und allegorischem Inhalt für die Dekoration von Schlössern in Rom und Umgebung. Daneben zunehmende Tätigkeit auf dem Gebiet der kirchlichen Kunst; wichtige Aufträge u. a. für die Sacrestia Nuova der Peterskirche, für die Kirche S. Nicola in Catania und für den Dom in Pisa.

Tempelgang Mariä

Schwarze Kreide, Feder in Braun, blau-grünlich und braun laviert, weiß gehöht.
24,9 × 33,4 cm
R 924

Provenienz:
Stephan List, München.[1]

Um 1786 erhielt Cavallucci den Auftrag, für den Dom zu Spoleto ein Altarbild mit dem Thema «Tempelgang Mariä» zu malen. Obwohl sich das Bild und unsere Zeichnung in der Konzeption erheblich unterscheiden, scheint doch ein Zusammenhang zwischen beiden Werken zu bestehen. Während die Komposition des Blattes im Querformat angelegt ist und sich die Handlung inmitten einer vielfigurigen Menschenmenge vor klassischer Architektur abspielt, wurde das Gemälde als Hochformat ausgeführt. Das Geschehen wurde weitgehend auf die drei Figuren des Hohepriesters, Mariä und der hl. Anna reduziert,[2] die den entsprechenden Figuren unserer Zeichnung verwandt sind.

Stilistisch und technisch ist unser Blatt, dessen Zuschreibung an Cavallucci von Steffi Röttgen bestätigt wurde,[3] besonders gut mit einer Kompositionsstudie im Gabinetto Nazionale delle Stampe in Rom vergleichbar, auf welcher die hll. Placido und Mauro vor dem hl. Benedetto dargestellt sind.[4]

Betrachtet man Aufbau und Stil unserer Zeichnung, so stellen sich, wie häufig im Œuvre Cavalluccis, Assoziationen mit Werken früherer Jahrhunderte ein. In unserem Fall besteht kompositorisch eine enge Anlehnung an Francesco Salviatis «Heimsuchungsfresko» von 1538 im Oratorio di San Giovanni Decollato in Rom.[5]

[1] Verkaufskatalog Kunstantiquariat Stephan List, München, *25 Ausgewählte Italienische Zeichnungen des 16.–18. Jahrhunderts,* Januar 1982, Nr. 4 als «Francesco Salviati» (mit Abb.).
[2] Auf dem Gemälde ist die Gestalt des hl. Joachim bis auf seinen Kopf durch die Hauptfiguren völlig verdeckt; nur partiell sichtbar ist auch der Jüngling mit Lamm bzw. der Taube unten links; in vereinfachter Form übernommen wurde die klassische Architektur des Hintergrundes.
[3] Brief vom 25.7.1983.
[4] Vgl.: Prosperi Valenti Rodinò u. a. 1980, Nr. 73 (mit Abb.).
[5] Vgl.: Mortari 1992, S. 107, Nr. 2 (mit Abb.) und Abb. S.14.

BIBLIOGRAPHIE

Alcaide 1965
Victor Manuel Nieto Alcaide, *Dibujos de la Real Academia de San Fernando. Carlo Maratti. Cuarenta y tres dibujos de tema religioso,* Madrid 1965

Amsterdam 1970
Karel G. Boon, *Italiaanse Tekeningen uit een Amsterdamse Particuliere Verzameling,* Kat. Ausst. Amsterdam, Rijksprentenkabinet/Rijksmuseum, Amsterdam 1970

Andrews 1968
Keith Andrews, *National Gallery of Scotland: Catalogue of Italian Drawings,* 2 Bände, Cambridge 1968

Arbace 1989–90
Luciana Arbace, *Luca Giordano disegnatore verso il 1675,* in: Prospettiva. Scritti in ricordo di Giovanni Previtali, Bd. II, Nr. 57–60, April 1989–Oktober 1990, S. 275–278

Arezzo 1981
Giorgio Vasari, Kat. Ausst. Arezzo, Casa Vasari, Florenz 1981

Arslan 1960
Edoardo Arslan, *I Bassano,* 2 Bände, Mailand 1960

Bacci 1974
Mina Bacci, *Jacopo Ligozzi,* in: Pierpaolo Brugnoli (Hrsg.), Maestri della pittura veronese, Verona 1974, S. 269–276

Bacou 1974
Roseline Bacou, *Piranèse. Gravures et Dessins,* Paris 1974

Bacou 1978
Roseline Bacou, *À Propos des Dessins de Figures de Piranèse,* in: Georges Brunel (Hrsg.), Piranèse et les Français. Colloque tenu à la Villa Médicis, 12.–14. Mai 1976. Académie de France à Rome, Actes II, Rom 1978, S. 33–42

Bagni 1989
Prisco Bagni, *Nuove scoperte su Ubaldo Gandolfi,* in: Accademia Clementina. Atti e Memorie, 24, Bologna 1989, S. 83–96

Bagni 1992
Prisco Bagni, *I Gandolfi,* Bologna 1992

Baldinucci 1847
Filippo Baldinucci, *Notizie dei Professori del Disegno da Cimabue in qua,* 1847, hrsg. von Ferdinando Ranalli, Florenz 1974

Ballantyne Press 1902
Descriptive Catalogue of Drawings… in the possession of the Hon. A.E. Gathorne-Hardy, Ballantyne Press 1902

Bassano del Grappa/Fort Worth 1992/93
Beverly Louise Brown und Paola Marini (Hrsg.), *Jacopo Bassano,* Kat. Ausst. Bassano del Grappa, Museo Civico/Fort Worth, Kimbell Art Museum 1992/93, Bologna 1992

Bean 1972[a]
Jacob Bean, *Review of «Dessins français et italiens du XVIe et du XVIIe siècle dans les collections privées françaises»,* in: Master Drawings, Vol. X, Nr. 2, 1972, S. 164

Bean 1972[b]
Jacob Bean, *Review of R. Cocke, Pier Francesco Mola,* in: Master Drawings, Vol. X, Nr. 4, 1972, S. 386

Béguin 1987
Sylvie Béguin, *Luca Penni Peintre: Nouvelles Attributions,* in: «Il se rendit en Italie» – Etudes offertes à André Chastel, Paris 1987, S. 243–257

Benati 1991
Daniele Benati, *Disegni emiliani del sei–settecento. Come nascono i dipinti,* Mailand 1991

Benesch 1923
Otto Benesch, *Handzeichnungen alter Meister. Luca Giordano,* Wien 1923

Bernhard 1973
Marianne Bernhard (Hrsg.), *Deutsche Romantik. Handzeichnungen, Bd. 2: Johann Friedrich Overbeck (1789–1869) bis Christian Xeller (1784–1872),* München 1973

Bettagno 1983
Alessandro Bettagno, *Piranesi. Tra Venezia e l'Europa*, Florenz 1983

Biagi Maino 1990
Donatella Biagi Maino, *Ubaldo Gandolfi*, Turin 1990

Bjurström 1979
Per Bjurström, *Drawings in Swedish Public Collections. Italian Drawings. Venice, Brescia, Parma, Milan, Genoa*, Stockholm 1979

Blunt/Cooke 1960
Anthony Blunt und Hereward Lester Cooke, *The Roman Drawings of the XVII & XVIII Centuries in the Collection of Her Majesty The Queen at Windsor Castle*, London 1960

Bologna 1975
Andrea Emiliani und Giovanna Gaeta Bertelà, *Mostra di Federico Barocci*, Kat. Ausst. Bologna, Museo Civico, Bologna 1975

Bora 1980
Giulio Bora, *I disegni lombardi e genovesi del Cinquecento*, Treviso 1980

Bowron 1979
Edgar Peters Bowron, *The Paintings of Benedetto Luti*, Phil. Diss., New York University 1979 (Microfilm)

Bremen 1994
Sonja Brink, *Italienische Zeichnungen des 16. bis 18. Jahrhunderts. Eine Auswahl aus den Beständen der Kunsthalle Bremen*, Kat. Ausst. Bremen, Kunsthalle, Bremen 1994

Briganti 1966
Giuliano Briganti, *Gaspar van Wittel*, Rom 1966

Burckhardt 1924
Jacob Burckhardt, *Geschichte der Renaissance in Italien*, bearbeitet von Heinrich Holtzinger, 7. Auflage, Esslingen a.N. 1924

Byam Shaw 1954
James Byam Shaw, *The Drawings of Francesco Fontebasso*, in: Arte Veneta, VIII, 1954, S. 317–325

Byam Shaw 1962
James Byam Shaw, *The Drawings of Domenico Tiepolo*, London 1962

Byam Shaw 1976
James Byam Shaw, *Drawings by Old Masters at Christ Church, Oxford*, 2 Bände, Oxford 1976

Byam Shaw 1980
James Byam Shaw, *Biblioteca di Disegni, Vol. IX, Maestri Veneti del Settecento*, Florenz 1980

Byam Shaw 1983
James Byam Shaw, *The Italian Drawings of the Frits Lugt Collection*, 3 Bände, Paris 1983

Byam Shaw/Knox 1987
James Byam Shaw und George Knox, *Italian Eighteenth Century Drawings in the Robert Lehman Collection*, New York 1987

Calci 1808
J.A. Calci, *Notizie della Vita, e delle Opere del Cavaliere Gioan Francesco Barbieri detto il Guercino da Cento*, Bologna 1808

Cambridge 1959
Carlos van Hasselt, *17th Century Italian Drawings*, Kat. Ausst. Cambridge, Fitzwilliam Museum, Cambridge 1959

Cambridge (Mass.) 1970
George Knox, *Tiepolo. A Bicentenary Exhibition 1770–1970. Drawings, mainly from American Collections, by Giambattista Tiepolo and the members of his circle*, Kat. Ausst. Cambridge (Mass.), Fogg Art Museum, Harvard University, Cambridge (Mass.) 1970

Cambridge (Mass.) u.a. 1991
David M. Stone, *Guercino, Master Draftsman. Works from North American Collections*, Kat. Ausst. Cambridge (Mass.), Arthur M. Sackler Museum/ Ottawa, The National Gallery of Canada/Cleveland, The Cleveland Museum of Art, Bologna 1991

Cantelli 1978
Giuseppe Cantelli, *I disegni fiorentini della Biblioteca Marucelliana di Firenze*, in: 6.a Biennale Internazionale della Grafica d'Arte, Kat. Ausst. Florenz, Orsanmichele, Florenz 1978, S. 11–40

Cantelli 1983
Giuseppe Cantelli, *Repertorio della Pittura Fiorentina del Seicento*, Fiesole (Florenz) 1983

Carpeggiani 1974
Paolo Carpeggiani, *Paolo Farinati*, in: Pierpaolo Brugnoli (Hrsg.), Maestri della pittura veronese, Verona 1974, S. 227–236

Casalini 1978
Eugenio Casalini, *Note d'arte e d'archivio*, in: La SS. Annunziata di Firenze, 2, Florenz 1978, S. 261–292

Ciardi 1968
Roberto Paolo Ciardi, *Giovan Ambrogio Figino,*
Florenz 1968

Ciardi 1971
Roberto Paolo Ciardi, *Addenda Figiniana,* in:
Arte lombarda, XVI, 1971, S. 267–274

Clark 1985
Anthony M. Clark, *Pompeo Batoni. Complete Cata-logue,* hrsg. von Edgar Peters Bowron, Oxford 1985

Cleveland/New Haven 1978
Edmund P. Pillsbury und Louise S. Richards, *The Graphic Art of Federico Barocci. Selected Drawings and Prints,* Kat. Ausst. Cleveland, The Cleveland Museum of Art/New Haven, Yale University Art Gallery, New Haven 1978

Cocke 1972
Richard Cocke, *Pier Francesco Mola,* Oxford 1972

Colt Hoare 1822
Sir Richard Colt Hoare, *History of Modern Wiltshire,* London 1822

Constable 1962
W. G. Constable, *Canaletto,* 2 Bände, Oxford 1962

Crispolti 1648
Cesare Crispolti, *Perugia Augusta,* Perugia 1648

Dal Forno 1965
Federico Dal Forno, *Paolo Farinati 1524–1606,*
Verona 1965

Davis 1986
Bruce W. Davis, *The Drawings of Ciro Ferri,*
Phil. Diss., New York/London 1986

DeGrazia Bohlin 1982
Diane DeGrazia Bohlin, *Paolo Farinati in the Pala-zzo Giuliari: Frescoes and Preparatory Drawings,* in:
Master Drawings, Vol. XX, Nr. 4, 1982, S. 347–369

De Vesme/Dearborn Massar 1971
Alexandre De Vesme und Phyllis Dearborn Massar, *Stefano della Bella. Catalogue Raisonné,* 2 Bände,
New York 1971

Di Giampaolo 1979
Mario Di Giampaolo, *Recensione a G. Vezzoli/ P. Virgilio Begni Redona, Lattanzio Gambara, pittore,* in: Prospettiva, 18, Juli 1979, S. 57–59

Di Giampaolo 1990
Mario Di Giampaolo, *Cesare Franchi dit Le Pollino: variations sur le thème de la Sainte Famille,* in:
Disegno. Actes du Colloque du Musée des Beaux-Arts de Rennes. 9 et 10 novembre 1990, Rennes 1991,
S. 19–24

Dowley 1957
Francis H. Dowley, *Some Maratti Drawings at Düsseldorf,* in: The Art Quarterly, XX, 1957, S. 163–179

Dowley 1962
Francis H. Dowley, *Some Drawings by Benedetto Luti,* in: The Art Bulletin, Vol. XLIV, Nr. 3, Septem-ber 1962, S. 219–236

Düsseldorf 1990
Hein-Th. Schulze Altcappenberg und Susannah Cremer, *Facetten des Barock. Meisterzeichnungen von Gianlorenzo Bernini bis Anton Raphael Mengs aus dem Kunstmuseum Düsseldorf,* Kat. Ausst.
Düsseldorf, Kunstmuseum, Düsseldorf 1990

Edinburgh 1969
Yvonne Tan Bunzl, Keith Andrews, John A. Gere, Philip Pouncey und Julian Stock, *Italian 16th Century Drawings from British Private Collections,* Kat. Ausst. Edinburgh, The Merchants' Hall, Edinburgh 1969

Edinburgh 1972
Yvonne Tan Bunzl, Keith Andrews, John A. Gere, Philip Pouncey und Julian Stock, *Italian 17th Century Drawings from British Private Collections,* Kat. Ausst. Edinburgh, The Merchants' Hall, Edinburgh 1972

Ekserdjian 1989
David Ekserdjian, *Piranesi and Titian,* in: The Burlington Magazine, Vol. CXXXI, Nr. 1039, Oktober 1989, S. 702 f.

Emiliani 1985
Andrea Emiliani, *Federico Barocci,* 2 Bände, Bologna 1985

Faini Guazzelli 1969
Fiammetta Faini Guazzelli, *I Disegni di Matteo Rosselli al Louvre,* in: Antichità Viva, VIII, Nr. 3, 1969, S. 19–35

Ferrari/Scavizzi 1992
Oreste Ferrari und Giuseppe Scavizzi, *Luca Giordano. L'opera completa,* 2 Bände, Neapel 1992

Fischel 1962
Oskar Fischel, *Raphael*, Berlin 1962

Florenz 1961
Mina Bacci und Anna Forlani, *Mostra di disegni di Jacopo Ligozzi,* Kat. Ausst. Florenz, Gabinetto Disegni e Stampe degli Uffizi, XII, Florenz 1961

Florenz 1976
Peter Anselm Riedl, *Disegni dei Barocceschi senesi (Francesco Vanni e Ventura Salimbeni),* Kat. Ausst. Florenz, Gabinetto Disegni e Stampe degli Uffizi, XLVI, Florenz 1976

Florenz 1980
Paul C. Hamilton, *Disegni di Bernardino Poccetti,* Kat. Ausst. Florenz, Gabinetto Disegni e Stampe degli Uffizi, LIV, Florenz 1980

Florenz 1986/87
Il Seicento Fiorentino. Arte a Firenze da Ferdinando I a Cosimo III. Disegno/Incisione/Scultura/Arti minori, Kat. Ausst. Florenz, Palazzo Strozzi 1986/87, Florenz 1986

Florenz/Rom 1983/84
Bert W. Meijer und Carel van Tuyll, *Disegni italiani del Teylers Museum Haarlem provenienti dalle collezioni di Cristina di Svezia e dei principi Odescalchi,* Kat. Ausst. Florenz, Istituto Universitario Olandese di Storia dell'Arte/Rom, Istituto Nazionale per la Grafica, Gabinetto Nazionale delle Stampe 1983/84, Florenz 1983

Focillon 1967
Henri Focillon, *Giovanni Battista Piranesi,* bearbeitet von Maurizio Calvesi und Augusta Monferini, Bologna 1967

Forlani Tempesti 1991
Anna Forlani Tempesti, *The Robert Lehman Collection, V, Italian Fifteenth- to Seventeenth-Century Drawings,* New York 1991

Fortunati Pietrantonio 1986
Vera Fortunati Pietrantonio (Hrsg.), *Pittura bolognese del '500,* 2 Bände, Bologna 1986

Frankfurt a.M. 1988
Die florentinischen Zeichnungen des Seicento, Kat. Ausst. Frankfurt a.M., Frankfurter Kunstverein, Florenz 1988

Freeman Bauer 1978
Linda Freeman Bauer, *«Quanto si disegna, si dipinge ancora». Some Observations on the Development of the Oil Sketch,* in: Storia dell'arte, 32, 1978, S. 45–57

Frey 1930
Karl und Herman-Walther Frey, *Der literarische Nachlass Giorgio Vasaris,* Band 2, München 1930

Gere 1960
John A. Gere, *Two late fresco cycles by Perino del Vaga: the Massimi Chapel and the Sala Paolina,* in: The Burlington Magazine, Vol. CII, Nr. 682, Januar 1960, S. 9–19

Glasgow 1953
Old Master Drawings from the Collection of Sir George Campbell, Kat. Ausst. Glasgow, Glasgow City Art Gallery, Glasgow 1953

Goldner/Hendrix/Williams 1988
George R. Goldner, Lee Hendrix und Gloria Williams, *The J. Paul Getty Museum. European Drawings 1,* Malibu 1988

Goldner/Hendrix 1992
George R. Goldner und Lee Hendrix, *The J. Paul Getty Museum. European Drawings 2,* Malibu 1992

Golson 1957
Lucile Golson, *Lucca Penni. A Pupil of Raphael at the Court of Fontainebleau,* in: Gazette des Beaux-Arts, 50, 1957, S. 17–36

Gorizia/Venedig 1983
Da Carlevarijs ai Tiepolo. Incisori veneti e friulani del Settecento, Kat. Ausst. Gorizia, Musei provinciali/Venedig, Museo Correr, Venedig 1983

Gould 1952
Cecil Gould, *Leonardo's 'Neptune' Drawing,* in: The Burlington Magazine, Vol. XCIV, Nr. 595, Oktober 1952, S. 289–294

Graf 1973
Dieter Graf, *Guglielmo Cortese's Paintings of the Assumption and some Preliminary Drawings,* in: The Burlington Magazine, Vol. CXV, Nr. 838, Januar 1973, S. 24–35

Graf 1976
Dieter Graf, *Die Handzeichnungen von Guglielmo Cortese und Giovanni Battista Gaulli,* Kataloge des Kunstmuseums Düsseldorf III, Handzeichnungen Bd. 2/1 und 2/2, Düsseldorf 1976

Gregor 1924
Joseph Gregor, *Wiener Szenische Kunst. Die Theaterdekoration,* Wien 1924

Gregori 1984
Mina Gregori, *A proposito delle opere facete del Volterrano e di un suo dipinto appartenuto al Baldinucci,* in: Scritti di storia dell'arte in onore di Roberto Salvini, Florenz 1984, S. 519–523

Hadeln 1926
Detlev Freiherr von Hadeln, *Venezianische Zeichnungen der Spätrenaissance,* Berlin 1926

Hadeln 1927
Detlev Freiherr von Hadeln, *Handzeichnungen von G.B. Tiepolo,* 2 Bände, München 1927

Hamburg u.a. 1965/66
Wolf Stubbe, Werner Deusch und Rolf Kultzen, *Zeichnungen alter Meister aus deutschem Privatbesitz,* Kat. Ausst. Hamburg, Kunsthalle/Bremen, Kunsthalle/Stuttgart, Staatsgalerie, Graphische Sammlung 1965/66, Hamburg 1965

Hannover/Düsseldorf 1991/92
Venedigs Ruhm im Norden, Kat. Ausst. Hannover, Forum des Landesmuseums/Düsseldorf, Kunstmuseum im Ehrenhof 1991/92, Hannover 1991

Hartt 1958
Frederick Hartt, *Giulio Romano,* 2 Bände, New Haven 1958

Haverkamp-Begemann 1957
Egbert Haverkamp-Begemann, *Vijf Eeuwen Tekenkunst. Tekeningen van Europese meesters in het Museum Boymans te Rotterdam,* Rotterdam 1957

Heller 1827
Joseph Heller, *Das Leben und die Werke Albrecht Dürer's,* Bamberg 1827

Holloway 1972
James Holloway, *Current and Forthcoming Exhibitions: Italian seventeenth-century drawings from British private collections,* in: The Burlington Magazine, Vol. CXIV, Nr. 835, Oktober 1972, S. 729–731

Ieni 1985
Giulio Ieni, «*Una machina grandissima quasi a guisa d'arco trionfale*»: *l'altare vasariano,* in: Pio V e Santa Croce di Bosco. Aspetti di una committenza papale, Kat. Ausst. Alessandria, Palazzo Cuttica/Bosco Marengo, Santa Croce 1985, S. 49–62

Jaffé 1994
Michael Jaffé, *The Devonshire Collection of Italian Drawings. Bolognese and Emilian Schools,* London 1994

Karpinski 1971
Caroline Karpinski, *Le Peintre Graveur Illustré, Vol. I, Italian Chiaroscuro Woodcuts,* Bartsch Vol. XII, London 1971

Knox 1975[a]
George Knox, *Catalogue of the Tiepolo Drawings in the Victoria & Albert Museum,* 2. Auflage, London 1975

Knox 1975[b]
George Knox, *'Philosopher Portraits' by Giambattista, Domenico and Lorenzo Tiepolo,* in: The Burlington Magazine, Vol. CXVII, Nr. 864, März 1975, S. 147–155

Knox 1980
George Knox, *Giambattista and Domenico Tiepolo. A Study and Catalogue Raisonné of the Chalk Drawings,* 2 Bände, Oxford 1980

Links 1982
J.G. Links, *Canaletto,* Oxford 1982

London 1978
John Wilton-Ely, *Piranesi,* Kat. Ausst. London, Arts Council of Great Britain, London 1978

London 1983/84
Jane Martineau und Charles Hope (Hrsg.), *The Genius of Venice 1500–1600,* Kat. Ausst. London, Royal Academy of Arts 1983/84, London 1983

London 1991
Nicholas Turner und Carol Plazzotta, *Drawings by Guercino from British Collections with an Appendix describing the drawings by Guercino, his School and his Followers in the British Museum,* Kat. Ausst. London, British Museum, London 1991

London 1992
Elizabeth Llewellyn und Cristiana Romalli, *Drawing in Bologna 1500–1600,* Kat. Ausst. London, Courtauld Institute Galleries, London 1992

London/Oxford 1971/72
Loan Exhibition of Drawings by Old Masters from the Collection of Mr. Geoffrey Gathorne-Hardy, Kat. Ausst. London, P. & D. Colnaghi & Co. Ltd./Oxford, Ashmolean Museum 1971/72, London 1971

London/Washington, D.C. 1994/95
Jane Martineau und Andrew Robison (Hrsg.), *The Glory of Venice: Art in the Eighteenth Century,* Kat. Ausst. London, Royal Academy of Arts/ Washington, D.C., National Gallery of Art 1994/95, London 1994

Lugano/Rom 1989/90
Pier Francesco Mola 1612–1666, Kat. Ausst. Lugano, Museo Cantonale d'Arte/Rom, Musei Capitolini 1989/90, Mailand 1989

Lugt
Frits Lugt, *Les Marques de collections de dessins & d'estampes*, Amsterdam 1921; Supplément, Den Haag 1956

Luzern 1979
Zeichnungen Italienischer Meister aus den Sammlungen Schloss Fachsenfeld, Stiftung Ratjen Vaduz, Staatsgalerie Stuttgart, Staatliche Graphische Sammlung München, Kat. Ausst. Kunstmuseum Luzern, Luzern 1979

Lyon 1984/85
Henriette Pommier und Evelyne Gaudry, *Dessins du XVIe au XIXe siècle de la collection du Musée des Arts Décoratifs de Lyon*, Kat. Ausst. Lyon, Musée Historique des Tissus 1984/85, Lyon 1984

Macandrew 1980
Hugh Macandrew, *Catalogue of the Collection of Drawings in the Ashmolean Museum, Vol. III. Italian Schools: Supplement*, Oxford 1980

Magrini 1973–74
Marina Magrini, *Alcune notizie su Francesco Fontebasso ricavate da documenti dell'epoca*, in: Atti dell'Istituto Veneto di Scienze Lettere ed Arti, CXXXII, 1973–74, S. 285–298

Mahon/Turner 1989
Denis Mahon und Nicholas Turner, *The Drawings of Guercino in the Collection of Her Majesty The Queen at Windsor Castle*, Cambridge 1989

Mailand 1986
Disegni lombardi del Cinque e Seicento della Pinacoteca di Brera e dell'Arcivescovado di Milano, Kat. Ausst. Mailand, Pinacoteca di Brera, Florenz 1986

Mancini 1987
Francesco Federico Mancini, *Miniatura a Perugia tra Cinquecento e Seicento*, Perugia 1987

Mantua 1989
Giulio Romano, Kat. Ausst. Mantua, Palazzo Te/Palazzo Ducale, Mailand 1989

Mason Rinaldi 1974
Stefania Mason Rinaldi, *Precisazioni cronologiche su due dipinti di Palma il Giovane*, in: Arte Veneta, XXVIII, 1974, S. 248–254

Mason Rinaldi 1977
Stefania Mason Rinaldi, *Catalogue of Drawings by Jacopo Palma, called il Giovane from the Collection of The Late Mr. C.R. Rudolf*, Kat. Auktion Sotheby's, London, 4.7.1977

Mason Rinaldi 1984
Stefania Mason Rinaldi, *Palma il Giovane. L'opera completa*, Mailand 1984

McCorquodale 1980
Charles McCorquodale, *Catalogue of an Important Group of Drawings by Baldassare Franceschini, called Il Volterrano*, Kat. Auktion Sotheby's, London, 3.7.1980

Meijer o.J.
Bert W. Meijer, *I grandi disegni italiani del Teylers Museum di Haarlem*, Mailand o.J.

Meister 1952
Peter Wilhelm Meister (Hrsg.), Jahrbuch der Hamburger Kunstsammlungen, Bd. 2, Hamburg 1952

Merz 1985
Jörg Martin Merz, *Cortona-Studien*, Phil. Diss., Universität Tübingen 1985

Merz 1991
Jörg Martin Merz, *Pietro da Cortona. Der Aufstieg zum führenden Maler im barocken Rom*, Tübingen 1991

Mezzetti 1977
Amalia Mezzetti, *Girolamo da Ferrara detto da Carpi. L'opera pittorica*, Mailand 1977

Miller 1982
Naomi Miller, *Heavenly caves*, London 1982

Monbeig-Goguel 1972
Catherine Monbeig-Goguel, *Musée du Louvre. Cabinet des Dessins. Inventaire Général des Dessins Italiens I: Vasari et son temps*, Paris 1972

Monte-Carlo 1966
Catalogue de l'exposition de dessins italiens du XVe au XVIIIe s. de la collection H. de Marignane, Kat. Ausst. Monte-Carlo, Palais des Congrès 1966

Morassi 1955
Antonio Morassi, *G.B. Tiepolo, his life and work*, London 1955

Mortari 1992
Luisa Mortari, *Francesco Salviati*, Rom 1992

Moschini 1954
Vittorio Moschini, *Canaletto*, Mailand 1954

Moschini 1963
Vittorio Moschini, *Canaletto*, Mailand 1963

Moschini 1969
Vittorio Moschini, *Drawings by Canaletto*,
New York 1969

München 1967
Bernhard Degenhart und Annegrit Schmitt,
Italienische Zeichnungen 15.–18. Jahrhundert, Kat.
Ausst. München, Staatliche Graphische Sammlung,
München 1967

München 1983
Richard Harprath, *Gaspare Vanvitelli*, Kat. Ausst.
München, Staatliche Graphische Sammlung,
München 1983

München 1990
*Staatliche Graphische Sammlung München,
Erwerbungen 1982–89*, Kat. Ausst. München,
Staatliche Graphische Sammlung, München 1990

München u.a. 1977/78
*Stiftung Ratjen. Italienische Zeichnungen des
16.–18. Jahrhunderts. Eine Ausstellung zum Anden-
ken an Herbert List*, Kat. Ausst. München, Staatliche
Graphische Sammlung/Berlin, Staatliche Museen
Preußischer Kulturbesitz, Kupferstichkabinett/
Hamburg, Kunsthalle/Düsseldorf, Kunstmuseum/
Stuttgart, Staatsgalerie, Graphische Sammlung
1977/78, München 1977

New York 1985
Liechtenstein, The Princely Collections, Kat. Ausst.
New York, The Metropolitan Museum of Art,
New York 1985

New York 1989/90
Katharine Baetjer und J.G. Links, *Canaletto*, Kat.
Ausst. New York, The Metropolitan Museum of Art
1989/90, New York 1989

New York 1994
William L. Barcham u.a., *European Master
Drawings from the Collection of Peter Jay Sharp*,
Kat. Ausst. New York, National Academy of Design,
New York 1994

New York/Montréal 1993/94
Cara D. Denison, Myra Nan Rosenfeld und
Stephanie Wiles, *Exploring Rome: Piranesi and
His Contemporaries*, Kat. Ausst. New York,
The Pierpont Morgan Library/Montréal, Canadian
Centre for Architecture 1993/94, New York 1993

New York u.a. 1975/76
Felice Stampfle und Cara D. Denison, *Drawings
from the Collection of Mr. & Mrs. Eugene V. Thaw*,
Kat. Ausst. New York, The Pierpont Morgan
Library/Cleveland, The Cleveland Museum of
Art/Chicago, The Art Institute/Ottawa, The Natio-
nal Gallery of Canada 1975/76, New York 1975

Oberhuber 1989
Konrad Oberhuber, *Giulio und die figürlichen
Künste*, in: Fürstenhöfe der Renaissance. Giulio
Romano und die klassische Tradition, Kat. Ausst.
Wien, Kunsthistorisches Museum Neue Burg
1989/90, Wien 1989, Kap. IV, S. 134–193

Olsen 1962
Harald Olsen, *Federico Barocci*, Kopenhagen 1962

Orlandi 1704
Pellegrino Antonio Orlandi, *Abecedario pittorico*,
Bologna 1704

Ottawa 1977
Walter Vitzthum, *Drawings by Gaspar van Wittel*,
Kat. Ausst. Ottawa, The National Gallery of Canada,
Ottawa 1977

Panofsky 1930
Erwin Panofsky, *Hercules am Scheidewege und
andere antike Bildstoffe in der neueren Kunst*,
Leipzig 1930

Paris 1971[a]
*Dessins français et italiens du XVIe et du XVIIe siècle
dans les collections privées françaises*, Kat. Ausst.
Paris, Galerie Claude Aubry, Paris 1971

Paris 1971[b]
*Venise au dix-huitième siècle. Peintures, dessins et
gravures des collections françaises*, Kat. Ausst. Paris,
Orangerie des Tuileries, Paris 1971

Paris 1972/73
L'Ecole de Fontainebleau, Kat. Ausst. Paris, Grand
Palais 1972/73, Paris 1972

Paris 1978
Nouvelles Attributions, Kat. Ausst. Paris, Musée du
Louvre, Paris 1978

Paris 1981/82
Catherine Monbeig-Goguel und Françoise Viatte,
Dessins baroques florentins du musée du Louvre,
Kat. Ausst. Paris, Musée du Louvre 1981/82,
Paris 1981

Paris u.a. 1994/95
Emmanuelle Brugerolles, *Le Dessin en France au XVIe siècle. Dessins et miniatures des collections de l'École des Beaux-Arts*, Kat. Ausst. Paris, École nationale supérieure des Beaux-Arts/Cambridge (Mass.), Fogg Art Museum, Harvard University/ New York, The Metropolitan Museum of Art 1994/95, Paris 1994

Parker 1956
Karl T. Parker, *Catalogue of the Collection of Drawings in the Ashmolean Museum, Vol. II. Italian Schools*, Oxford 1956

Pascoli 1732
Lione Pascoli, *Vite de' Pittori scultori ed architetti perugini*, Rom 1732

Pavanello 1979
Giuseppe Pavanello, *Piranesi a Venezia (Considerazioni sulla mostra della Fondazione Cini)*, in: Arte Veneta, XXXIII, 1979, S. 206–208

Philadelphia 1980/81
Ulrich W. Hiesinger und Ann Percy (Hrsg.), *A Scholar Collects. Selections from the Anthony Morris Clark Bequest*, Kat. Ausst. Philadelphia, Philadelphia Museum of Art 1980/81, Philadelphia 1980

Pignatti 1975
Terisio Pignatti, *Le feste ducali. Canaletto, Brustolon, Guardi,* in: Critica d'Arte, XXI (XL), 144, 1975, S. 41–68

Pignatti 1981
Terisio Pignatti, *Disegni Antichi del Museo Correr di Venezia*, Bd. II, Venedig 1981

Piranesi 1764
Giovanni Battista Piranesi, *Raccolta di alcuni disegni del Barberi [sic] da Cento detto il Guercino, incisi in rame, e presenti al singolar merito del Sig. Tommaso Jenkins Pittore, ed Accademico di S. Luca, in atto di rispetto, e d'amicizia dall'Architetto, e suo Coaccademico Gio. Battista Piranesi*, Rom 1764

Popham 1967
Arthur E. Popham, *Italian Drawings in the Department of Prints and Drawings in the British Museum. Artists working in Parma in the Sixteenth Century*, 2 Bände, London 1967

Popham/Wilde 1949
Arthur E. Popham und Johannes Wilde, *The Italian Drawings of the XV and XVI Centuries in the Collection of His Majesty The King at Windsor Castle*, London 1949

Prosperi Valenti Rodinò u.a. 1980
Simonetta Prosperi Valenti Rodinò u.a., *I grandi disegni italiani dal Gabinetto Nazionale delle Stampe di Roma*, Mailand 1980

Puppi 1968
Lionello Puppi (Hrsg.), *Paolo Farinati. Giornale (1573–1606)*, Florenz 1968

Puppi 1969
Lionello Puppi, *Asterischi per il Farinati grafico*, in: Arte illustrata, 22–24, 1969, S. 48–61

Ragghianti 1963
Carlo Ludovico Ragghianti, *Antichi disegni e stampe dell'Accademia Carrara di Bergamo*, Bergamo 1963

Riedl 1959–60
Peter Anselm Riedl, *Zum Œuvre des Ventura Salimbeni*, in: Mitteilungen des Kunsthistorischen Institutes in Florenz, Bd. 9, Heft I–IV, August 1959 bis November 1960, S. 221–248

Robinson 1869
J. C. Robinson, *Descriptive Catalogue of Drawings by the Old Masters, forming the Collection of John Malcolm of Poltalloch, Esq.*, Chiswick Press 1869

Robison 1986
Andrew Robison, *Piranesi: Early Architectural Fantasies – A Catalogue Raisonné of the Etchings*, Washington, D.C. 1986

Rom 1977
Simonetta Prosperi Valenti Rodinò, *Disegni Fiorentini 1560–1640 dalle collezioni del Gabinetto Nazionale delle Stampe*, Kat. Ausst. Rom, Villa della Farnesina alla Lungara, Rom 1977

Rom 1979/80
Simonetta Prosperi Valenti Rodinò, *Disegni di Guglielmo Cortese (Guillaume Courtois) detto il Borgognone nelle collezioni del Gabinetto Nazionale delle Stampe*, Kat. Ausst. Rom, Villa alla Farnesina alla Lungara 1979/80, Rom 1979

Salvagnini 1937
F. A. Salvagnini, *I Pittori Borgognoni Cortese (Courtois) e la loro casa in Piazza di Spagna*, Rom 1937

San Francisco o.J.
Robert Flynn Johnson und Joseph R. Goldyne, *Master Drawings from the Achenbach Foundation for Graphic Arts. The Fine Arts Museums of San Francisco*, Kat. Ausst. San Francisco, California Palace of the Legion of Honor o.J.

San Marino 1969/70
Marcel Roethlisberger, *European Drawings from the Kitto Bible*, Kat. Ausst. San Marino (Kalifornien), The Henry E. Huntington Library and Art Gallery 1969/70

Sankt Petersburg 1992
I.S. Grigoryeva, T.A. Ilatovskaya und I.N. Novoselskaya, *Westeuropäische Zeichnung. XVI. bis XX. Jahrhundert. Kunsthalle Bremen*, Kat. Ausst. Sankt Petersburg, Eremitage, Moskau 1992

Sapori 1988
Giovanna Sapori, in: *La Pittura in Italia. Il Seicento*, Mailand 1988, Bd. 2, S. 745

Schaar 1967
Ann Sutherland Harris und Eckhard Schaar, *Die Handzeichnungen von Andrea Sacchi und Carlo Maratta*, Kataloge des Kunstmuseums Düsseldorf III, Handzeichnungen Bd. 1, Düsseldorf 1967

Smith 1978
Graham Smith, *Current and Forthcoming Exhibitions: Federico Barocci at Cleveland and New Haven*, in: The Burlington Magazine, Vol. CXX, Nr. 902, Mai 1978, S. 330–333

Stix/Fröhlich-Bum 1926
Alfred Stix und Lily Fröhlich-Bum, *Beschreibender Katalog der Handzeichnungen in der Graphischen Sammlung Albertina. Bd. I: Die Zeichnungen der venezianischen Schule*, Wien 1926

Stix/Fröhlich-Bum 1932
Alfred Stix und Lily Fröhlich-Bum, *Beschreibender Katalog der Handzeichnungen in der Graphischen Sammlung Albertina. Bd. III: Die Zeichnungen der toskanischen, umbrischen und römischen Schulen*, Wien 1932

Stix/Spitzmüller 1941
Alfred Stix und Anna Spitzmüller, *Beschreibender Katalog der Handzeichnungen in der Graphischen Sammlung Albertina. Bd. VI: Die Schulen von Ferrara, Bologna, Parma und Modena, der Lombardei, Genuas, Neapels und Siziliens*, Wien 1941

Stone 1991
David M. Stone, *Guercino. Catalogo completo dei dipinti*, Florenz 1991

Strauss 1977
Walter L. Strauss (Hrsg.), *The Intaglio Prints of Albrecht Dürer. Engravings, Etchings & Dry-Points*, New York 1977

Strauss 1986
Walter L. Strauss (Hrsg.), *The Illustrated Bartsch, Bd. 52, Netherlandish Artists. Cornelis Cort*, New York 1986

Stuttgart 1970
George Knox und Christel Thiem, *Tiepolo. Zeichnungen von Giambattista, Domenico und Lorenzo Tiepolo aus der Graphischen Sammlung der Staatsgalerie Stuttgart, aus württembergischem Privatbesitz und dem Martin von Wagner Museum der Universität Würzburg*, Kat. Ausst. Stuttgart, Galerieverein/Graphische Sammlung Staatsgalerie Stuttgart, Stuttgart 1970

Tamassia Mazzarotto 1961
Bianca Tamassia Mazzarotto, *Le feste veneziane. I giochi popolari, le ceremonie religiose e di governo*, Florenz 1961

Tanzi 1991
Marco Tanzi, *Lattanzio Gambara nel Duomo di Parma*, Turin 1991

Thiem 1977[a]
Christel Thiem, *Florentiner Zeichner des Frühbarock*, München 1977

Thiem 1977[b]
Christel Thiem, *Italienische Zeichnungen 1500–1800. Bestandskatalog der Graphischen Sammlung der Staatsgalerie Stuttgart*, Stuttgart 1977

Thiem 1994
Christel Thiem, *Lorenzo Tiepolo as a Draftsman*, in: Master Drawings, Vol. XXXII, Nr. 4, 1994, S. 315–350

Thomas 1954
Hylton Thomas, *The Drawings of Giovanni Battista Piranesi*, London 1954

Tietze/Tietze-Conrat 1944
Hans Tietze und Erika Tietze-Conrat, *The Drawings of the Venetian Painters in the 15th and 16th Centuries*, New York 1944

Tonini 1876
Pellegrini Tonini, *Il Santuario della SS. Annunziata di Firenze. Guida Storico-Illustrativa*, Florenz 1876

Torgiano 1988
Mario Di Giampaolo, Marina Bon Valsassina und Maria Grazia Marchetti Lungarotti, *Bozzetti, modelli e grisailles dal XVI al XVIII secolo*, Kat. Ausst. Torgiano, Museo del Vino, Perugia 1988

Toronto/New York 1985/86
David McTavish, *Italian Drawings from the Collection of Duke Roberto Ferretti,* Kat. Ausst. Toronto, Art Gallery of Ontario/New York, The Pierpont Morgan Library 1985/86, Toronto 1985

Torrini 1987
Annalisa Perissa Torrini, *Disegni del Figino, Gallerie dell'Accademia di Venezia. Catalogo dei Disegni antichi,* Mailand 1987

Tozzi 1937
Rosanna Tozzi, *Disegni di Domenico Tintoretto,* in: Bollettino d'Arte, XXXI, 1937, S. 19–31

Turner 1980
Nicholas Turner, *Italian Baroque Drawings,* London 1980

Vasari/Milanesi
Giorgio Vasari, *Le vite de' più eccellenti pittori scultori ed architettori scritte da Giorgio Vasari pittore aretino con nuove annotazioni e commenti di Gaetano Milanesi,* 9 Bände, Florenz 1906

Venedig 1957
Michelangelo Muraro, *Disegni veneti della collezione Janos Scholz,* Kat. Ausst. Venedig, Fondazione Giorgio Cini, Vicenza 1957

Venedig 1965
Pietro Zampetti, *Mostra dei Guardi,* Kat. Ausst. Venedig, Palazzo Grassi, Venedig 1965

Venedig 1967
Pietro Zampetti (Hrsg.), *I vedutisti veneziani del settecento,* Kat. Ausst. Venedig, Palazzo Ducale, Venedig 1967

Venedig 1970
Maria Teresa Muraro und Elena Povoledo, *Disegni teatrali dei Bibiena,* Kat. Ausst. Venedig, Fondazione Giorgio Cini, Vicenza 1970

Venedig 1971
Terence Mullaly, *Disegni veronesi del Cinquecento,* Kat. Ausst. Venedig, Fondazione Giorgio Cini, Vicenza 1971

Venedig 1978
Alessandro Bettagno, *Piranesi. Disegni,* Kat. Ausst. Venedig, Fondazione Giorgio Cini, Vicenza 1978

Venedig 1982
Alessandro Bettagno (Hrsg.), *Canaletto. Disegni, Dipinti, Incisioni,* Kat. Ausst. Venedig, Fondazione Giorgio Cini, Vicenza 1982

Venedig 1993
Alessandro Bettagno (Hrsg.), *Francesco Guardi. Vedute Capricci Feste,* Kat. Ausst. Venedig, Fondazione Giorgio Cini, Mailand 1993

Venedig/Washington, D.C. 1990/91
Titian. Kat. Ausst. Venedig, Palazzo Ducale/ Washington, D.C., National Gallery of Art 1990/91, Venedig 1990

Vitzthum 1955
Walter Vitzthum, *Die Handzeichnungen des Bernardino Poccetti,* Diss. München 1955, Berlin 1972

Vitzthum 1965
Walter Vitzthum, *Luca Giordano o Francesco Lamarra: una ipotesi,* in: Paragone, XVI, Nr. 183, Mai 1965, S. 64–67

Voss 1924
Hermann Voss, *Die Malerei des Barock in Rom,* Berlin 1924

Washington, D.C./New York 1973/74
Konrad Oberhuber und Dean Walker, *Sixteenth Century Italian Drawings from the Collection of Janos Scholz,* Kat. Ausst. Washington, D.C., National Gallery of Art/New York, The Pierpont Morgan Library 1973/74, Washington, D.C. 1973

Washington, D.C., u.a. 1974/75
Terisio Pignatti, *Venetian Drawings from American Collections,* Kat. Ausst. Washington, D.C., National Gallery of Art/Fort Worth, Kimbell Art Museum/ St. Louis, The St. Louis Art Museum 1974/75

Watson 1949
F.J.B. Watson, *Canaletto,* London 1949

Zugni-Tauro 1971
Anna Paola Zugni-Tauro, *Gaspare Diziani,* Venedig 1971

VERZEICHNIS DER KÜNSTLER

mit den entsprechenden Katalognummern

Abbildung Umschlag:
Antonio Canal, genannt Canaletto, *Das Giovedì Grasso-Fest auf der Piazzetta,*
Kat. Nr. 44 (Ausschnitt)

© 1995 Stiftung Ratjen, Vaduz, und Benteli-Werd Verlags AG, Wabern-Bern
Herausgegeben von der Liechtensteinischen Staatlichen Kunstsammlung, Vaduz
Katalogtexte: David Lachenmann
Fotoaufnahmen: Günter und Evi von Voithenberg, Heinz Preute
Fotolithos: Ast & Jakob AG, Köniz-Bern
Gestaltung und Lektorat: Benteliteam
Druck: Benteli Druck AG, Wabern-Bern
ISBN 3-7165-0959-0